상위 연으로 가는 문제 해결 연산 학습지

응용 연산

S4
6~7세

한 자리 수끼리의 덧셈과 뺄셈

Creative to Math
씨투엠

응용연산 : 상위권으로 가는 문제해결 연산 학습지

요즘 아이들은 초등학교 입학 전에 연산 문제집 한 권 정도는 풀어본 경험이 있습니다. 어릴 때부터 연산 문제를 많이 풀었기 때문에 아이들은 아직 학교에서 배우지 않은 계산 문제를 슥슥 풀어서 부모님들을 흐뭇하게 만들기도 합니다. 그런데 아이들의 연산 능력은 날로 높아지지만 수학 실력은 과거에 비해 그다지 늘지 않은 것 같습니다. 사실 진짜 수학 실력은 연산 문제나 사고력 수학 문제를 주로 푸는 초등 저학년 때는 잘 드러나지 않습니다. 응용 문제를 본격적으로 풀기 시작하는 초등 3, 4학년이 되어서야 아이의 수학 실력을 판별할 수 있습니다.

초등 수학에서 연산이 가장 중요한 것은 부정할 수 없는 사실입니다. 중학생, 고등학생이 되어서 부족한 연산 능력을 키우는 것은 거의 불가능합니다. 이러한 연산의 특수성 때문에 아이들은 어린 나이부터 연산을 반복적으로 연습하여 실력을 키우려고 합니다. 이렇게 열심히 연산을 공부하는데도 왜 어떤 아이들은 수학 문제를 잘 풀지 못하는 것일까요? 그 이유는 현재 연산 학습의 목적이 단지 '계산을 잘 하는 것'이 되어버렸기 때문입니다. 연산은 연산 자체가 목적이 될 수 없으며 수학의 진짜 목표인 문제를 잘 풀기 위한 수단으로 연산을 학습해야 합니다.

과거 초등 수학 교과서의 연산 단원은 ① 원리와 연습 ② 문장제 활용의 단순한 구성이었습니다만 요즘의 교과서는 많이 달라졌습니다. 원리와 연습은 그대로이거나 조금 줄었지만 연산을 응용하는 방식은 좀 더 다양해졌습니다. 계산 능력의 향상만을 꾀하는 것이 아니라 여러 가지 퍼즐이나 수학적 상황 등을 해결할 수 있는 '응용력'에 초점을 맞추고 있다는 것을 보여주는 변화입니다. 따라서 저희는 연산 학습지도 원리나 연습 위주에서 벗어나 실제 문제를 해결할 수 있는 능력에 포인트를 맞추어야 한다고 생각합니다.

'연산은 잘 하는데 수학 문제는 왜 못 풀까요?'에 대한 대답이자 대안으로 저희는 「응용연산」이라는 새로운 컨셉의 연산 학습지를 만들었습니다. 연산 원리를 이해하고 연습하는 것에 그치지 않고, 익힌 것을 활용하는 방법을 바로 보여줄 수 있어야 아이들이 수학 문제에 연산을 효과적으로 적용할 수 있습니다. 연습은 꼭 필요한 만큼만 하고, 더 중요한 응용 문제에 바로 도전함으로써 연산과 문제 해결이 단절되지 않게 하는 것이 「응용연산」에서 기대하는 가장 큰 목표입니다.

「응용연산」을 통해 아이들이 왜 연산을 해야 하는지 스스로 느낄 수 있을 것이라 자신합니다. 이제 연산은 '원리'나 '연습'이 아닌 스스로 문제를 해결할 수 있는 '응용력'입니다.

응용연산의 구성과 특징

- 매일 부담없이 4쪽씩 연산 학습
- 매주 4일간 단계별 연산 학습과 응용 문제를 통한 연산 실력 확인
- 매주 1일 형성평가로 테스트 및 복습

주차별 구성

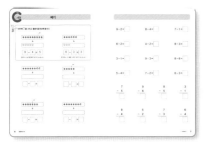

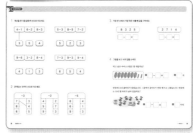

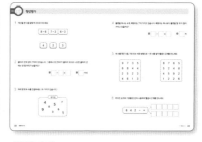

원리연산
대표 문제를 통해 학습하는 매일 새로운 단계별 연산 학습

응용연산
기본 문제와 응용 문제를 통한 응용력과 문제해결력 증진

형성평가
가장 중요한 유형을 다시 한번 복습하며 주차 학습 마무리

정답 및 해설

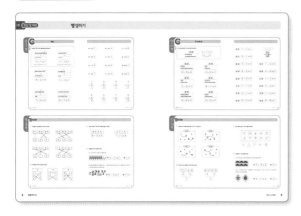

문제와 답을 한눈에 볼 수 있습니다.

이 책의 차례

1주차

뺄셈하기

한 자리 수끼리의 뺄셈

빼기

빈칸에 ◯를 그리고, 뺄셈식을 완성해 봅시다.

$$9 - 4 = 5$$

9개에서 4개를 빼면 5개가 남습니다.

$$6 - 3 = 3$$

6개에서 3개를 지우면 3개가 남습니다.

☐ − ☐ = ☐

☐ − ☐ = ☐

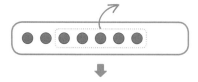

☐ − ☐ = ☐

☐ − ☐ = ☐

$9 - 2 =$ ☐ $8 - 4 =$ ☐ $7 - 1 =$ ☐

$6 - 2 =$ ☐ $4 - 2 =$ ☐ $8 - 3 =$ ☐

$3 - 1 =$ ☐ $9 - 3 =$ ☐ $8 - 6 =$ ☐

$5 - 4 =$ ☐ $7 - 2 =$ ☐ $6 - 3 =$ ☐

$$\begin{array}{r} 7 \\ -\ 5 \\ \hline \end{array}$$ ☐ $$\begin{array}{r} 9 \\ -\ 6 \\ \hline \end{array}$$ ☐ $$\begin{array}{r} 8 \\ -\ 5 \\ \hline \end{array}$$ ☐ $$\begin{array}{r} 3 \\ -\ 1 \\ \hline \end{array}$$ ☐

$$\begin{array}{r} 9 \\ -\ 4 \\ \hline \end{array}$$ ☐ $$\begin{array}{r} 5 \\ -\ 2 \\ \hline \end{array}$$ ☐ $$\begin{array}{r} 7 \\ -\ 3 \\ \hline \end{array}$$ ☐ $$\begin{array}{r} 6 \\ -\ 4 \\ \hline \end{array}$$ ☐

1 계산을 한 다음 알맞게 선으로 이으세요.

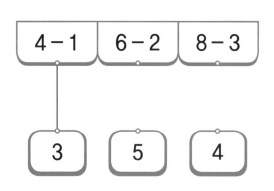

| 4 − 1 | 6 − 2 | 8 − 3 |

| 3 | 5 | 4 |

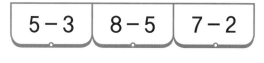

| 5 − 3 | 8 − 5 | 7 − 2 |

| 5 | 2 | 3 |

| 9 − 6 | 3 − 2 | 8 − 4 |

| 4 | 1 | 3 |

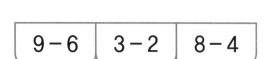

| 7 − 3 | 9 − 3 | 9 − 4 |

| 6 | 5 | 4 |

2 관계있는 것끼리 선으로 이으세요.

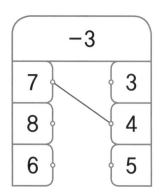

−3	
7	3
8	4
6	5

−2	
4	2
5	7
9	3

−5	
8	4
6	1
9	3

3 가장 큰 수에서 가장 작은 수를 뺀 값을 구하세요.

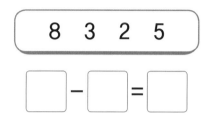

☐ – ☐ = ☐

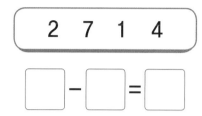

☐ – ☐ = ☐

4 그림을 보고 식과 답을 쓰세요.

먹고 남은 아이스크림은 몇 개일까요?

식 ☐ – ☐ = ☐   답 ☐ 개

연못에 오리 8마리가 있었습니다. 그중에서 3마리가 연못 밖으로 나왔습니다. 연못에는 오리 몇 마리가 남아 있을까요?

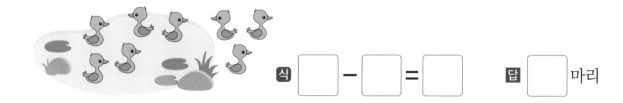

식 ☐ – ☐ = ☐   답 ☐ 마리

두 수의 차

개념
원리

하나씩 선으로 잇고 두 수의 차를 구해 봅시다.

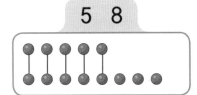

5 8

$8 - 5 = 3$

5와 8의 차는 큰 수 8에서
작은 수 5를 뺀 3입니다.

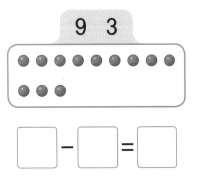

9 3

$\boxed{} - \boxed{} = \boxed{}$

4 2

$\boxed{} - \boxed{} = \boxed{}$

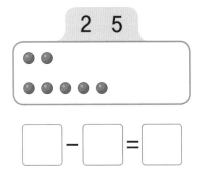

2 5

$\boxed{} - \boxed{} = \boxed{}$

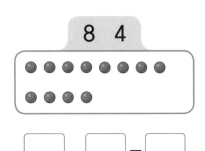

8 4

$\boxed{} - \boxed{} = \boxed{}$

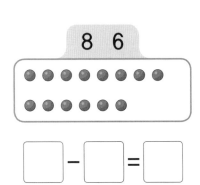

8 6

$\boxed{} - \boxed{} = \boxed{}$

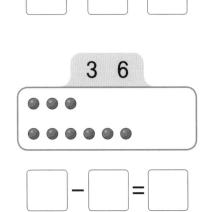

3 6

$\boxed{} - \boxed{} = \boxed{}$

3 7 $7 - 3 = 4$

두 수의 차를 구하세요.

9 1 $\boxed{} - \boxed{} = \boxed{}$

8 3 $\boxed{} - \boxed{} = \boxed{}$ 5 7 $\boxed{} - \boxed{} = \boxed{}$

4 6 $\boxed{} - \boxed{} = \boxed{}$ 9 6 $\boxed{} - \boxed{} = \boxed{}$

6 2 $\boxed{} - \boxed{} = \boxed{}$ 1 5 $\boxed{} - \boxed{} = \boxed{}$

1 7 $\boxed{} - \boxed{} = \boxed{}$ 2 3 $\boxed{} - \boxed{} = \boxed{}$

7 9 $\boxed{} - \boxed{} = \boxed{}$ 7 2 $\boxed{} - \boxed{} = \boxed{}$

6 3 $\boxed{} - \boxed{} = \boxed{}$ 8 9 $\boxed{} - \boxed{} = \boxed{}$

1 차에 맞게 두 수를 연결하세요. (두 가지가 있습니다.)

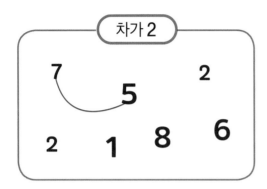

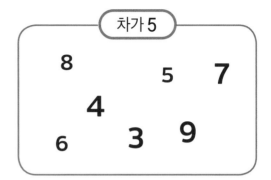

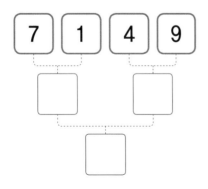

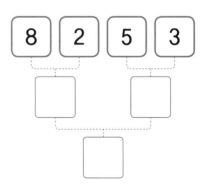

2 짝지은 두 수의 차를 구하여 빈칸에 쓰세요.

7	1	4	9

8	2	5	3

3 같은 모양에 있는 두 수의 차를 구하세요.

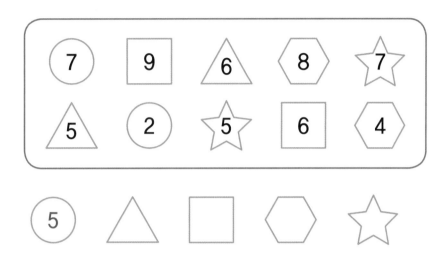

4 그림을 보고 식과 답을 쓰세요.

노란색 자동차는 파란색 자동차보다 몇 대 더 많을까요?

식 [ ] − [ ] = [ ]   답 [ ] 대

선주는 구슬 5개, 민호는 구슬 8개를 가지고 있습니다. 민호는 선주보다 구슬을 몇 개 더 많이 가지고 있을까요?

식 [ ] − [ ] = [ ]   답 [ ] 개

뺄셈식 만들기

올바른 뺄셈식을 따라 미로를 통과하려 합니다. 뺄셈식에 맞게 미로를 따라 =를 써 봅시다.

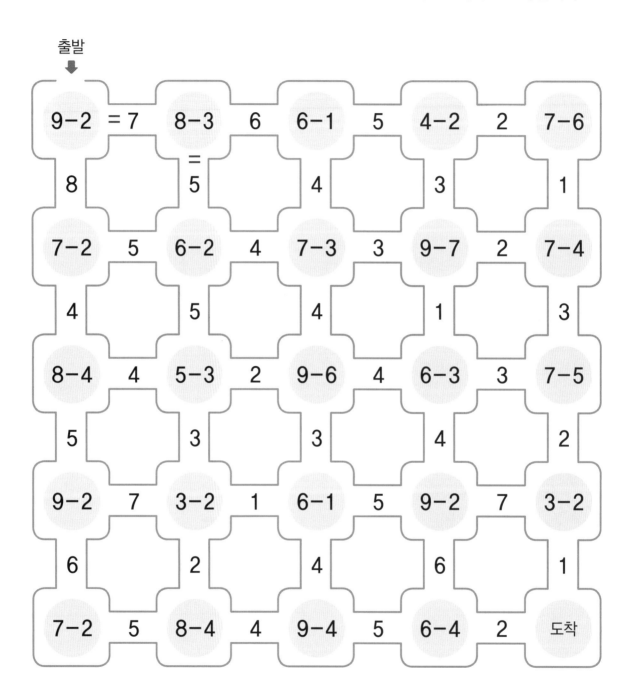

$5 - 7 = 2$ ($\times$)

$7 - 4 = 3$ (   )

$8 - 3 = 5$ (   ) $7 - 4 = 2$ (   )

$6 - 4 = 2$ (   ) $8 - 7 = 6$ (   )

$9 - 5 = 3$ (   ) $6 - 2 = 4$ (   )

$7 - 6 = 1$ (   ) $4 - 2 = 2$ (   )

$6 - 1 = 5$ (   ) $3 - 2 = 2$ (   )

$8 - 6 = 2$ (   ) $5 - 4 = 1$ (   )

1 세 수를 묶은 다음, 가로 또는 세로 방향으로 ─와 =를 넣어 뺄셈식을 만드세요.

```
┌─────────────────────┐
│  ( 5 − 2 = 3 )  6   │
│                 −   │
│  4    6   (9)   3   │
│           −     =   │
│  2    1   4     3   │
│           =         │
│  1    7   5     4   │
└─────────────────────┘
```

```
┌─────────────────────┐
│  4    3    8    5   │
│                     │
│  6    2    4    1   │
│                     │
│  1    4    2    4   │
│                     │
│  8    5    3    6   │
└─────────────────────┘
```

```
┌─────────────────────┐
│  7    5    8    4   │
│                     │
│  4    4    2    2   │
│                     │
│  3    6    4    3   │
│                     │
│  6    9    7    2   │
└─────────────────────┘
```

```
┌─────────────────────┐
│  9    5    2    3   │
│                     │
│  7    6    1    3   │
│                     │
│  5    4    2    1   │
│                     │
│  4    1    3    5   │
└─────────────────────┘
```

```
┌─────────────────────┐
│  7    2    5    4   │
│                     │
│  8    9    3    6   │
│                     │
│  4    2    4    3   │
│                     │
│  4    6    1    4   │
└─────────────────────┘
```

```
┌─────────────────────┐
│  5    4    2    3   │
│                     │
│  9    3    5    7   │
│                     │
│  2    1    3    1   │
│                     │
│  7    5    4    6   │
└─────────────────────┘
```

2 주어진 숫자와 기호를 한 번씩 사용하여 **뺄셈식 2개**를 만드세요.

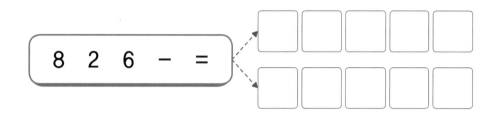

8 2 6 − =

3 그림에 맞는 **뺄셈식**을 쓰고 답을 구하세요.

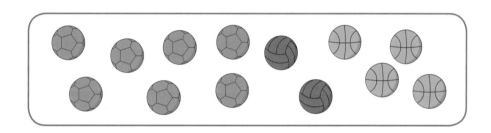

⬡은 🏀보다 몇 개 더 많을까요?

식 ▢ − ▢ = ▢   답 ▢ 개

🏀은 ⬤보다 몇 개 더 많을까요?

식 ▢ − ▢ = ▢   답 ▢ 개

⬡은 ⬤보다 몇 개 더 많을까요?

식 ▢ − ▢ = ▢   답 ▢ 개

차가 되는 여러 두 수

 개념
원리

빈칸에 알맞은 수를 쓰고 차가 같은 뺄셈식을 만들어 봅시다.

5 큰 수

1	6
2	7
3	8
4	9

$6 - 1 = 5$ $8 - 3 = 5$

$7 - 2 = 5$ $9 - 4 = 5$

어떤 수와 그 수보다 5 큰 수의 차는 5입니다.

3 큰 수

3	
4	
5	
6	

$\boxed{} - \boxed{} = 3$ $\boxed{} - \boxed{} = 3$

$\boxed{} - \boxed{} = 3$ $\boxed{} - \boxed{} = 3$

1 큰 수

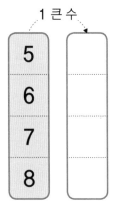

5	
6	
7	
8	

$\boxed{} - \boxed{} = 1$ $\boxed{} - \boxed{} = 1$

$\boxed{} - \boxed{} = 1$ $\boxed{} - \boxed{} = 1$

두 수의 차가 6

$\square - \square = 6$

$\square - \square = 6$

$\square - \square = 6$

1부터 9까지의 수를 사용하여 차가 같은 뺄셈식을 만드세요.

두 수의 차가 4

$\square - \square = 4$

$\square - \square = 4$

$\square - \square = 4$

$\square - \square = 4$

$\square - \square = 4$

두 수의 차가 3

$\square - \square = 3$

$\square - \square = 3$

$\square - \square = 3$

$\square - \square = 3$

$\square - \square = 3$

$\square - \square = 3$

두 수의 차가 5

$\square - \square = 5$

$\square - \square = 5$

$\square - \square = 5$

$\square - \square = 5$

1 ☆ 안의 수가 차가 되는 두 수를 모두 찾아 선으로 이으세요.

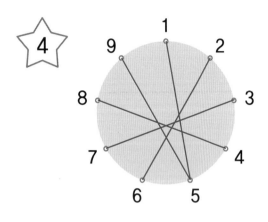

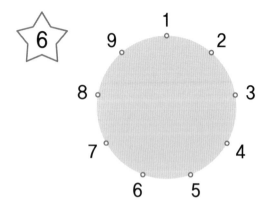

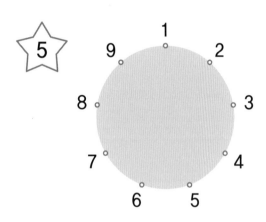

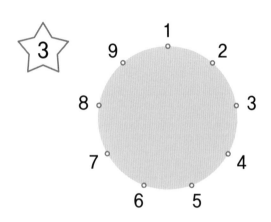

2 가로, 세로 방향으로 차가 안의 수가 되는 두 수를 묶으세요.

6	2	1
5	4	8
7	3	9

5	2	8
3	8	4
6	7	1

3 1, 2, 3, 4, 5, 6, 7, 8을 한 번씩 사용하여 뺄셈식 4개를 모두 완성하세요.

$$\boxed{} - \boxed{} = 4 \qquad \boxed{} - \boxed{} = 4$$

$$\boxed{} - \boxed{} = 4 \qquad \boxed{} - \boxed{} = 4$$

4 주머니 안의 수를 한 번씩 사용하여 차가 같은 뺄셈식을 만드세요. (두 가지 방법이 있습니다.)

$$\boxed{6} - \boxed{4} = \boxed{2} \qquad \boxed{7} - \boxed{4} = \boxed{3}$$

$$\boxed{9} - \boxed{7} = \boxed{2} \qquad \boxed{9} - \boxed{6} = \boxed{3}$$

(4, 9, 6, 7)

$$\boxed{} - \boxed{} = \boxed{} \qquad \boxed{} - \boxed{} = \boxed{}$$

$$\boxed{} - \boxed{} = \boxed{} \qquad \boxed{} - \boxed{} = \boxed{}$$

(1, 2, 9, 8)

$$\boxed{} - \boxed{} = \boxed{} \qquad \boxed{} - \boxed{} = \boxed{}$$

$$\boxed{} - \boxed{} = \boxed{} \qquad \boxed{} - \boxed{} = \boxed{}$$

(5, 3, 6, 2)

1 계산을 한 다음 알맞게 선으로 이으세요.

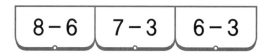

| 8 - 6 | 7 - 3 | 6 - 3 |

| 4 | 2 | 3 |

2 울타리 안에 양이 7마리 있었습니다. 그중에서 양 2마리가 울타리 밖으로 나오면 울타리 안에는 양 몇 마리가 남을까요?

식 ☐ − ☐ = ☐   답 ☐ 마리

3 차에 맞게 두 수를 연결하세요. (두 가지가 있습니다.)

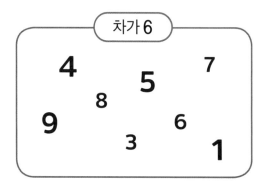

차가 6

4   7   5   8   9   6   3   1

4   볼펜을 하나는 **4**개, 혜영이는 **7**개 가지고 있습니다. 혜영이는 하나보다 볼펜을 몇 개 더 많이 가지고 있을까요?

5   세 수를 묶은 다음, 가로 또는 세로 방향으로 **−**와 **=**를 넣어 뺄셈식 **3**개를 만드세요.

6   주어진 숫자와 기호를 한 번씩 사용하여 뺄셈식 **2**개를 만드세요.

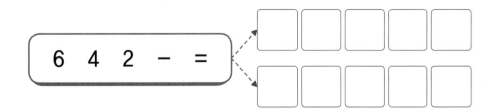

7　1부터 9까지의 수를 사용하여 차가 3이 되는 식을 모두 만드세요.

$$\boxed{} - \boxed{} = 3 \qquad \boxed{} - \boxed{} = 3 \qquad \boxed{} - \boxed{} = 3$$

$$\boxed{} - \boxed{} = 3 \qquad \boxed{} - \boxed{} = 3 \qquad \boxed{} - \boxed{} = 3$$

8　☆ 안의 수가 차가 되는 두 수를 모두 찾아 선으로 연결하세요.

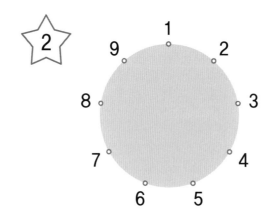

9　주머니 안의 수를 한 번씩 사용하여 차가 같은 뺄셈식을 만드세요.

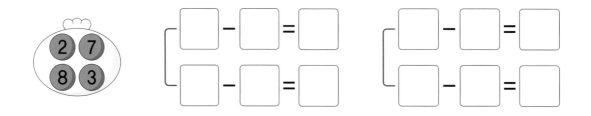

2주차

□가 있는 뺄셈

□가 있는 한 자리 수의 뺄셈

목표수 만들기

개념
원리

주머니 안의 수 2개를 뽑아 여러 가지 뺄셈식을 만들어 봅시다.

$$7 - 1 = 6$$

$$7 - 5 = 2$$

$$5 - 1 = 4$$

7, 5, 1 중 차가 6인
두 수는 7과 1입니다.

$$\boxed{} - \boxed{} = 6$$

$$\boxed{} - \boxed{} = 4$$

$$\boxed{} - \boxed{} = 2$$

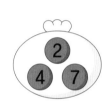

$$\boxed{} - \boxed{} = 5$$

$$\boxed{} - \boxed{} = 3$$

$$\boxed{} - \boxed{} = 2$$

$$\boxed{} - \boxed{} = 4$$

$$\boxed{} - \boxed{} = 1$$

$$\boxed{} - \boxed{} = 3$$

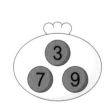

$$\boxed{} - \boxed{} = 6$$

$$\boxed{} - \boxed{} = 2$$

$$\boxed{} - \boxed{} = 4$$

| 7 | 2 | 9 | 3 |

$\square - \square = 7$ $\square - \square = 4$

$\square - \square = 1$ $\square - \square = 5$

| 9 | 2 | 4 | 5 |

$\square - \square = 5$ $\square - \square = 4$

$\square - \square = 1$ $\square - \square = 2$

| 2 | 6 | 9 | 1 |

$\square - \square = 5$ $\square - \square = 3$

$\square - \square = 7$ $\square - \square = 1$

$\square - \square = 4$ $\square - \square = 8$

| 3 | 6 | 8 | 2 |

$\square - \square = 5$ $\square - \square = 6$

$\square - \square = 4$ $\square - \square = 1$

$\square - \square = 3$ $\square - \square = 2$

1 상자 안의 두 수를 뽑아 차를 구할 때 차가 되는 수에 모두 ◯표 하세요.

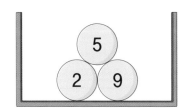

6 ④ ③ ⑦

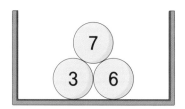

3 6 1 4

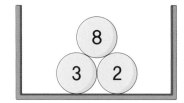

6 5 3 1

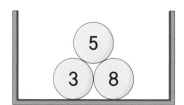

3 2 4 5

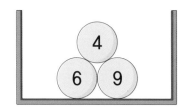

4 3 2 5

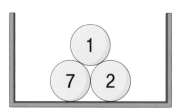

1 6 5 4

2 1, 2, 3, 4, 5, 6, 7, 8을 한 번씩 사용하여 뺄셈식 4개를 모두 완성하세요.

3 형수와 민수가 주사위를 2개씩 던졌습니다. 물음에 답하세요.

형수가 던진 두 주사위의 수의 차는 1입니다. 형수가 던진 주사위에 모두 ◯표 하세요.

(3 , 6 , 1 , 5)

민수가 던진 두 주사위의 수의 차는 얼마일까요?

□가 있는 뺄셈

빼는 수만큼 / 로 지우고 □ 안에 알맞은 수를 써 봅시다.

$$7 - \boxed{2} = 5$$

7에서 5를 남기고 지우려면
2만큼 / 로 지워야 합니다.

$$\boxed{9} - 2 = \boxed{7}$$

빼는 수 2만큼 / 로 지우면
9에서 남은 수는 7이 됩니다.

$$5 - \boxed{} = 4$$

$$\boxed{} - 4 = \boxed{}$$

$$8 - \boxed{} = 3$$

$$\boxed{} - 3 = \boxed{}$$

$$9 - \boxed{} = 6$$

$$\boxed{} - 6 = \boxed{}$$

$$7 - \boxed{} = 3$$

$$\boxed{} - 5 = \boxed{}$$

$7 - \boxed{} = 5$　　$\boxed{} - 1 = 7$　　$3 - \boxed{} = 1$

$5 - \boxed{} = 4$　　$\boxed{} - 3 = 3$　　$8 - \boxed{} = 4$

$8 - \boxed{} = 6$　　$\boxed{} - 4 = 3$　　$5 - \boxed{} = 3$

$4 - \boxed{} = 1$　　$\boxed{} - 3 = 5$　　$4 - \boxed{} = 3$

$$\begin{array}{r} 7 \\ - \ \boxed{} \\ \hline 1 \end{array} \qquad \begin{array}{r} 6 \\ - \ \boxed{} \\ \hline 4 \end{array} \qquad \begin{array}{r} 3 \\ - \ \boxed{} \\ \hline 2 \end{array} \qquad \begin{array}{r} 9 \\ - \ \boxed{} \\ \hline 5 \end{array}$$

$$\begin{array}{r} \boxed{} \\ - \ 1 \\ \hline 4 \end{array} \qquad \begin{array}{r} \boxed{} \\ - \ 5 \\ \hline 4 \end{array} \qquad \begin{array}{r} \boxed{} \\ - \ 3 \\ \hline 5 \end{array} \qquad \begin{array}{r} \boxed{} \\ - \ 2 \\ \hline 2 \end{array}$$

1 ☐ 안에 들어갈 수에 맞게 선으로 이으세요.

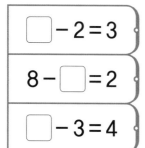

2 위 두 수의 차가 아래의 수가 됩니다. 빈칸에 알맞은 수를 쓰세요.

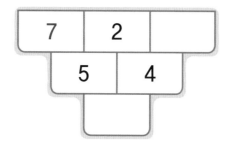

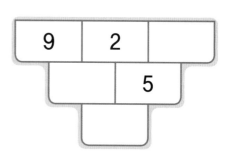

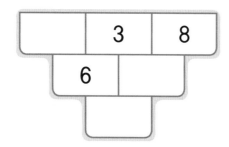

3 ◯ 안에 들어갈 수는 같습니다. 알맞은 수를 쓰세요.

$9 - \boxed{7} = \boxed{7} - 5$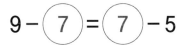

$\bigcirc - 2 = 8 - \bigcirc$

$\bigcirc - 2 = 6 - \bigcirc$

$9 - \bigcirc = \bigcirc - 3$

4 그림을 보고 물음에 답하세요.

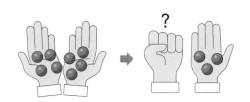

왼손에 있는 구슬은 몇 개일까요?

☐ 개

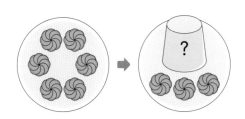

컵 안에 들어 있는 쿠키는 몇 개일까요?

☐ 개

5 교실에 9명이 있었습니다. 몇 명이 나가서 6명이 되었습니다. 교실을 나간 사람은 몇 명일까요?

☐ 명

□ 찾고 뺄셈하기

○ 안에 알맞은 수를 찾고 뺄셈을 하여 빈칸을 채워 봅시다.

$-$ ③

8	5
5	2
4	1

8$-$○$=$5이므로
빼는 수는 3입니다.

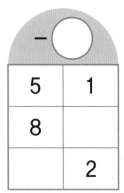

$-$ ○

5	1
8	
	2

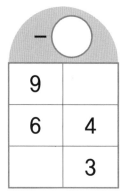

$-$ ○

9	
6	4
	3

$-$ ○

	3
6	
9	4

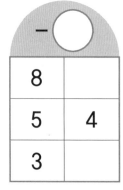

$-$ ○

	4
9	
6	3

$-$ ○

8	
5	4
3	

$-$ ○

7	1
	3
8	

−	6	4	8
9	3	5	1

−		3	1
	6	5	

−	6	4	
		3	4

−		3	4
	5		2

−	5
8	3
6	1
9	4

−	
9	3
	1
8	

−	
4	
	4
5	2

−	
	3
2	1
7	

−	
6	
	1
7	3

−	
4	2
	1
9	

1 ◯ 안에 알맞은 수를 쓰고 관계있는 것끼리 선으로 이으세요.

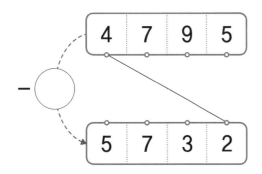

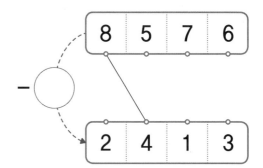

2 가로, 세로로 두 수의 차에 맞게 상자 안의 수를 빈칸에 쓰세요.

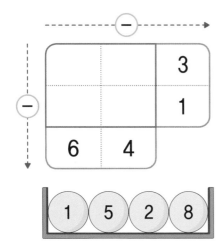

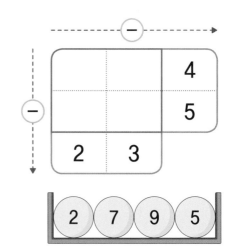

3 ○안의 수와 바깥쪽 수의 차를 쓴 것입니다. 빈 곳에 알맞은 수를 쓰세요.

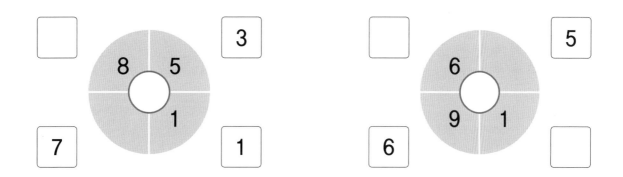

4 수가 요술 상자에 들어가면 다른 수로 바뀌어 나옵니다. 물음에 답하세요.

4는 어떤 수로 바뀔까요?

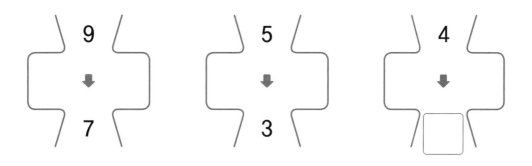

8은 어떤 수로 바뀔까요?

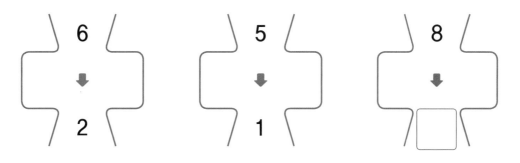

어떤 수 구하기

개념
원리

📦 안에 들어갈 구슬의 수를 ☐라 하여 식을 세우고 ☐의 값을 구하세요.

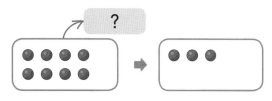

식 $8 - ☐ = 3$

☐ = 5

📦 안에 들어갈 구슬의 수를 ☐라 하여 뺄셈식을 세웁니다.

식

☐ =

식

☐ =

식

☐ =

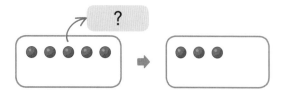

식

☐ =

어떤 수에서 3을 뺐더니 6이 되었습니다. ➡ $\square - 3 = 6$

9에서 어떤 수를 뺐더니 7이 되었습니다. ➡ $9 - \square = 7$

7에서 어떤 수를 뺐더니 3이 되었습니다. ➡

어떤 수에서 3을 뺐더니 5가 되었습니다. ➡

어떤 수에서 2를 뺐더니 6이 되었습니다. ➡

8에서 어떤 수를 뺐더니 4가 되었습니다. ➡

4에서 어떤 수를 뺐더니 1이 되었습니다. ➡

어떤 수에서 4를 뺐더니 2가 되었습니다. ➡

1 관계있는 것끼리 선으로 이으세요.

6에서 어떤 수를 빼면 4입니다.

어떤 수 빼기 4는 3입니다.

어떤 수에서 5를 빼면 3입니다.

$\square-5=3$

$6-\square=4$

$\square-4=3$

$\square=7$

$\square=8$

$\square=2$

어떤 수에서 1을 빼면 4입니다.

7에서 어떤 수를 빼면 5입니다.

어떤 수 빼기 3는 6입니다.

$\square-3=6$

$\square-1=4$

$7-\square=5$

$\square=9$

$\square=2$

$\square=5$

어떤 수 빼기 2는 4입니다.

어떤 수에서 4를 빼면 4입니다.

8에서 어떤 수를 빼면 3입니다.

$8-\square=3$

$\square-4=4$

$\square-2=4$

$\square=6$

$\square=5$

$\square=8$

2 어떤 수를 ☐라 하여 ☐를 사용한 식을 세우고 ☐의 값을 구하세요.

어떤 수에서 2를 뺐더니 5가 되었습니다. 어떤 수는 얼마일까요?

식 _____   ☐ = _____

9에서 어떤 수를 뺐더니 3이 되었습니다. 어떤 수는 얼마일까요?

식 _____   ☐ = _____

3 물음에 맞는 식에 ◯표 하고, 답을 구하세요.

도토리가 9개 있었습니다. 다람쥐가 도토리를 몇 개 먹은 뒤 5개가 남았습니다. 다람쥐가 먹은 도토리는 몇 개일까요?

| $☐ - 5 = 9$ | $9 - ☐ = 5$ | $☐ - 4 = 5$ |

답 _____ 개

윤주는 공책이 몇 권 있습니다. 동생에게 6권을 주고 3권이 남았습니다. 윤주가 처음 가지고 있던 공책은 몇 권일까요?

| $6 - ☐ = 3$ | $☐ - 3 = 6$ | $☐ - 6 = 3$ |

답 _____ 권

1 숫자 카드 중에서 2장을 뽑아 뺄셈식을 만듭니다. ☐ 안에 알맞은 수를 쓰세요.

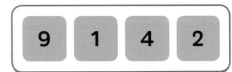

☐ − ☐ = 7   ☐ − ☐ = 2

☐ − ☐ = 5   ☐ − ☐ = 3

☐ − ☐ = 1   ☐ − ☐ = 8

2 상자 안의 두 수를 뽑아 차를 구할 때, 차가 되는 수에 모두 ◯표 하세요.

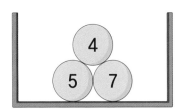

2 4 3 1

3 진우와 형철이가 각각 주사위를 2개씩 던졌습니다.

진우가 던진 두 주사위 수의 차가 3입니다. 형철이가 던진 두 주사위 수의 차는 얼마일까요?

☐

4   위 두 수의 차가 아래의 수가 됩니다. 빈칸에 알맞은 수를 쓰세요.

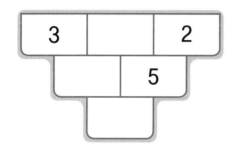
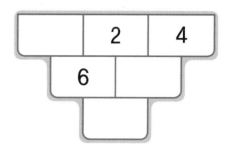

5   버스에 6명이 있었습니다. 몇 명이 내려서 2명이 되었습니다. 버스에서 내린 사람은 몇 명일
까요?

명

6   빈칸에 알맞은 수를 쓰세요.

−	5		4
	3	1	

−		1	2
	3	6	

7 ○안에 알맞은 수를 쓰고 관계있는 것끼리 선으로 이으세요.

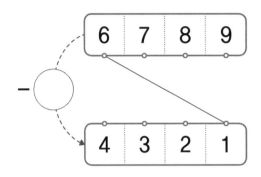

8 관계있는 것끼리 선으로 이으세요.

어떤 수에서 6을 빼면 2입니다.

7에서 어떤 수를 빼면 2입니다.

어떤 수 빼기 2는 2입니다.

$7 - \square = 2$

$\square - 2 = 2$

$\square - 6 = 2$

$\square = 5$

$\square = 8$

$\square = 4$

9 □를 사용한 식을 세우고 답을 구하세요.

사탕이 8개 있었습니다. 몇 개를 먹었더니 3개가 남았습니다. 몇 개를 먹었을까요?

식 _____   답 _____ 개

3주차

덧셈과 뺄셈

한 자리 수의 덧셈과 뺄셈

덧셈과 뺄셈

개념
원리

그림을 보고 덧셈식 또는 뺄셈식으로 써 봅시다.

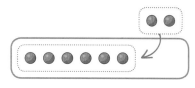

$6+2=8$

6개에 2개를 더하면 8개가 됩니다.

$7-5=2$

7개에서 5개를 지우면 2개가 남습니다.

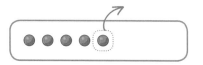

_____

_____

_____

_____

_____

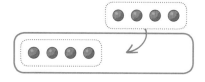

_____

_____

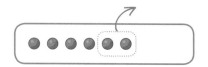

_____

$4 + 3 =$ ☐ $6 - 3 =$ ☐ $4 + 2 =$ ☐

$7 - 1 =$ ☐ $4 + 4 =$ ☐ $9 - 2 =$ ☐

$3 + 2 =$ ☐ $9 - 2 =$ ☐ $8 + 1 =$ ☐

$5 - 4 =$ ☐ $3 + 3 =$ ☐ $7 - 6 =$ ☐

$$\begin{array}{r} 5 \\ +\ 1 \\ \hline \end{array}\ \ \ \ \begin{array}{r} 6 \\ -\ 2 \\ \hline \end{array}\ \ \ \ \begin{array}{r} 7 \\ +\ 2 \\ \hline \end{array}\ \ \ \ \begin{array}{r} 8 \\ -\ 6 \\ \hline \end{array}$$

$$\begin{array}{r} 9 \\ -\ 4 \\ \hline \end{array}\ \ \ \ \begin{array}{r} 4 \\ +\ 3 \\ \hline \end{array}\ \ \ \ \begin{array}{r} 5 \\ -\ 3 \\ \hline \end{array}\ \ \ \ \begin{array}{r} 2 \\ +\ 6 \\ \hline \end{array}$$

1 계산을 한 다음 알맞게 선으로 이으세요.

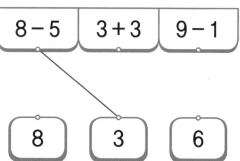

| 8 − 5 | 3 + 3 | 9 − 1 |

| 8 | 3 | 6 |

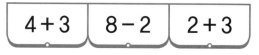

| 4 + 3 | 8 − 2 | 2 + 3 |

| 7 | 5 | 6 |

| 4 + 2 | 8 − 3 | 7 + 2 |

| 5 | 6 | 9 |

| 2 + 3 | 6 − 3 | 4 + 5 |

| 9 | 5 | 3 |

6 − 2		5		4 + 2
9 − 3		4		2 + 2
7 − 2		6		1 + 4

5 − 3		6		3 + 3
9 − 5		2		1 + 1
8 − 2		4		2 + 2

2 ○ 안에 **+** 또는 **−**를 쓰고, 식과 답을 완성하세요.

나뭇가지에 참새 5마리가 앉아 있습니다. 참새 2마리가 더 날아왔습니다. 참새는 모두 몇 마리일까요?

식 5 ◯ 2 = ☐   답 _____ 마리

나비 8마리가 있었습니다. 그중에서 3마리가 날아갔습니다. 나비는 몇 마리 남았을까요?

식 8 ◯ 3 = ☐   답 _____ 마리

3 그림을 보고, 물음에 맞게 식과 답을 쓰세요.

컵 받침과 컵은 모두 몇 개일까요?

식 _____   답 _____ 개

컵 받침은 컵보다 몇 개 더 많을까요?

식 _____   답 _____ 개

덧셈과 뺄셈의 관계

개념
원리

그림을 보고 덧셈식과 뺄셈식을 세웠습니다. ☐ 안에 알맞은 수를 써 봅시다.

4	2
6	

$4 + 2 = 6$　　　　$6 - 2 = 4$

$2 + 4 = 6$　　　　$6 - 4 = 2$

4	2
6	

6에서 2를 빼면 4입니다.

4	2
6	

6에서 4를 빼면 2입니다.

2	5
7	

☐ + ☐ = ☐　　　　☐ − ☐ = ☐

☐ + ☐ = ☐　　　　☐ − ☐ = ☐

3	6
9	

☐ + ☐ = ☐　　　　☐ − ☐ = ☐

☐ + ☐ = ☐　　　　☐ − ☐ = ☐

5 + 2 = 7

$$\boxed{} - \boxed{} = \boxed{}$$
$$\boxed{} - \boxed{} = \boxed{}$$

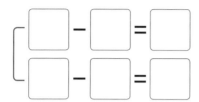

덧셈식을 이용하여 뺄셈식 2개를,
뺄셈식을 이용하여 덧셈식 2개를 만드세요.

1 + 3 = 4

$$\boxed{} - \boxed{} = \boxed{}$$
$$\boxed{} - \boxed{} = \boxed{}$$

4 + 5 = 9

$$\boxed{} - \boxed{} = \boxed{}$$
$$\boxed{} - \boxed{} = \boxed{}$$

8 - 2 = 6

$$\boxed{} + \boxed{} = \boxed{}$$
$$\boxed{} + \boxed{} = \boxed{}$$

6 - 1 = 5

$$\boxed{} + \boxed{} = \boxed{}$$
$$\boxed{} + \boxed{} = \boxed{}$$

9 - 2 = 7

$$\boxed{} + \boxed{} = \boxed{}$$
$$\boxed{} + \boxed{} = \boxed{}$$

7 - 3 = 4

$$\boxed{} + \boxed{} = \boxed{}$$
$$\boxed{} + \boxed{} = \boxed{}$$

1 세 수로 묶은 다음, 가로 또는 세로 방향으로 **+** 또는 **−**와 **=**를 넣어 덧셈식 또는 뺄셈식 3개를
   만드세요.

(3 + 2 = 5)			6
1	4	1	(5
(5 − 3 = 2)			− 2 = 3)
4	2	4	

6	3	4	7
7	8	5	2
3	4	3	7
4	2	3	3

4	3	9	2
9	6	5	6
3	9	7	3
6	1	4	9

5	8	6	2
9	3	4	9
2	6	8	3
1	6	2	8

5	2	9	2
1	4	1	5
4	3	6	8
8	5	4	1

3	2	3	5
4	9	6	5
3	2	5	2
8	4	3	3

2 주어진 수를 이용하여 덧셈식 **2**개와 뺄셈식 **2**개를 만드세요.

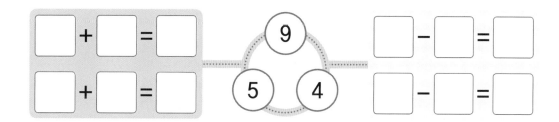

3 꽃밭에 빨간색 꽃 **6**송이, 파란색 꽃 **3**송이가 있습니다. 물음에 답하세요.

꽃은 모두 몇 송이인지 덧셈식을 사용하여 알아보세요.

식 ⬜ + ⬜ = ⬜   답 ⬜ 송이

빨간색 꽃의 수를 나타내는 뺄셈식을 완성하세요.

식 ⬜ − ⬜ = ⬜   답 ⬜ 송이

파란색 꽃의 수를 나타내는 뺄셈식을 완성하세요.

식 ⬜ − ⬜ = ⬜   답 ⬜ 송이

□가 있는 덧셈과 뺄셈

□ 안에 알맞은 수를 찾고 덧셈과 뺄셈을 하여 빈칸을 채워 봅시다.

3	5
8	

$$3 + \boxed{5} = 8$$

3과 □ 안의 수의 합은 8입니다.

	5	
	4	1

$$5 - \boxed{4} = 1$$

5에서 □를 빼면 1입니다.

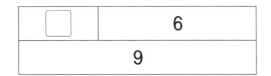

	6
9	

$$\boxed{} + 6 = 9$$

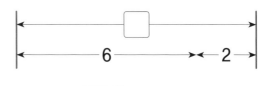

$$\boxed{} - 6 = 2$$

6, 2

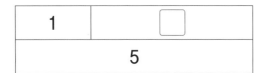

1	
5	

$$1 + \boxed{} = 5$$

$$6 - \boxed{} = 3$$

6, 3

	2
7	

$$\boxed{} + 2 = 7$$

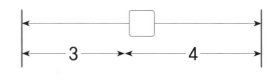

$$\boxed{} - 3 = 4$$

3, 4

$\boxed{} + 3 = 8$

$6 - \boxed{} = 4$

$\boxed{} - 4 = 4$

$\boxed{} - 3 = 6$

$4 + \boxed{} = 6$

$\boxed{} + 3 = 5$

$\boxed{} + 3 = 6$

$5 - \boxed{} = 4$

$\boxed{} + 1 = 8$

$\boxed{} - 3 = 1$

$2 + \boxed{} = 9$

$\boxed{} - 2 = 4$

$$\begin{array}{r} \boxed{} \\ +\quad 4 \\ \hline 9 \end{array}$$

$$\begin{array}{r} \boxed{} \\ -\quad 3 \\ \hline 4 \end{array}$$

$$\begin{array}{r} \boxed{} \\ +\quad 3 \\ \hline 6 \end{array}$$

$$\begin{array}{r} \boxed{} \\ -\quad 3 \\ \hline 5 \end{array}$$

$$\begin{array}{r} 5 \\ -\quad \boxed{} \\ \hline 3 \end{array}$$

$$\begin{array}{r} 7 \\ +\quad \boxed{} \\ \hline 8 \end{array}$$

$$\begin{array}{r} 7 \\ -\quad \boxed{} \\ \hline 5 \end{array}$$

$$\begin{array}{r} 7 \\ +\quad \boxed{} \\ \hline 9 \end{array}$$

1 ◯ 안에 알맞은 수를 쓰고, 관계있는 것끼리 선으로 이으세요.

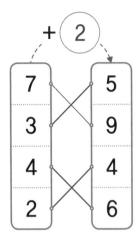

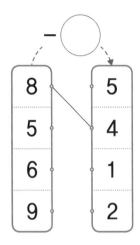

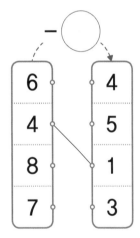

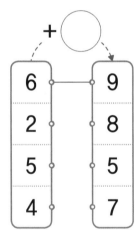

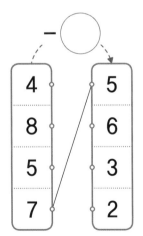

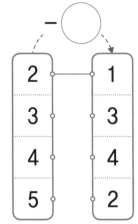

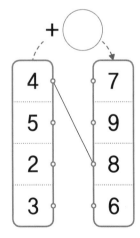

2 덧셈식과 뺄셈식이 성립하도록 빈 곳에 알맞은 수를 넣으세요.

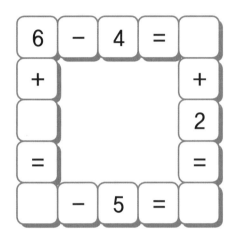

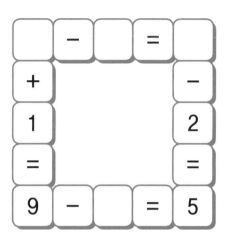

3 ▢를 사용한 식을 세우고 물음에 답하세요.

파란색 상자에 사과가 **6**개 있고, 노란색 상자에 사과가 몇 개 있습니다. 두 상자에 있는 사과는 모두 **9**개입니다. 노란색 상자에는 사과가 몇 개 있을까요?

식 _____   답 _____ 개

도토리가 **9**개 있었습니다. 다람쥐가 도토리를 몇 개 먹은 뒤 **5**개가 남았습니다. 다람쥐가 먹은 도토리는 몇 개일까요?

식 _____   답 _____ 개

합과 차

두 수의 합과 차를 구해 봅시다.

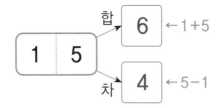

1과 5의 합은 5+1=6이고
1과 5의 차는 5−1=4입니다.
차는 큰 수에서 작은 수를 뺍니다.

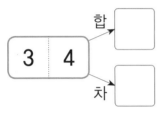

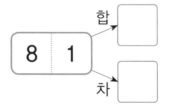

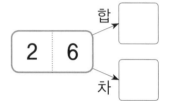

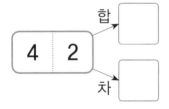

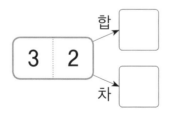

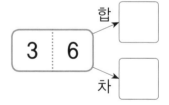

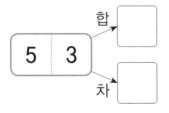

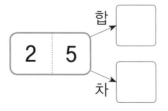

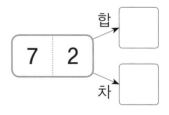

$4 + 1 = \boxed{6} - 1$

$\boxed{} + 1 = 9 - 2$

$3 + 5 = 9 - \boxed{}$

$2 + \boxed{} = 5 - 2$

$1 + \boxed{} = 9 - 4$

$4 + 3 = \boxed{} - 2$

$\boxed{} + 1 = 4 - 1$

$5 + 2 = \boxed{} - 1$

$\boxed{} + 2 = 9 - 1$

$2 + \boxed{} = 7 - 2$

$2 + 2 = 7 - \boxed{}$

$2 + \boxed{} = 6 - 2$

$2 + 3 = \boxed{} - 3$

$1 + 5 = \boxed{} - 2$

$3 + 3 = 9 - \boxed{}$

$1 + 4 = 6 - \boxed{}$

$\boxed{} + 2 = 7 - 1$

$\boxed{} + 4 = 9 - 1$

1 왼쪽은 두 수의 합, 오른쪽은 두 수의 차입니다. 두 수를 찾아 모두 ○표 하세요.

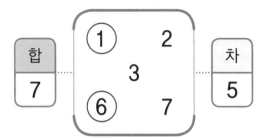

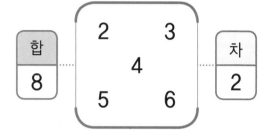

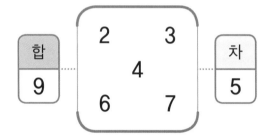

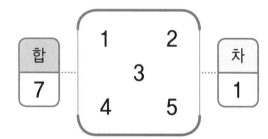

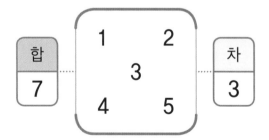

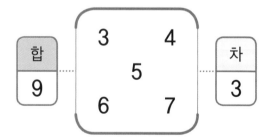

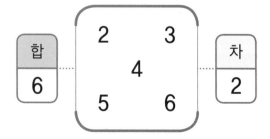

2 같은 모양에 들어가는 수는 같은 수입니다. 빈칸에 알맞은 수를 쓰세요.

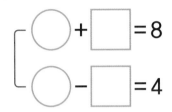

3 사탕 **7**개를 형과 동생이 나누어 가졌습니다. 동생이 형보다 **3**개 더 많이 가졌습니다. 형과 동생이 가진 사탕은 각각 몇 개인지 알아봅시다.

형과 동생이 가진 사탕 수의 합과 차를 각각 구하세요.

합: ☐ , 차: ☐

합과 차에 맞게 두 수를 구하세요.

☐ , ☐

형과 동생 중 누가 사탕을 더 많이 가졌을까요?

☐

형과 동생이 가진 사탕은 각각 몇 개일까요?

형: ☐ 개, 동생: ☐ 개

1 계산을 한 다음 알맞게 선으로 이으세요.

2 공원에 비둘기가 6마리가 앉아 있습니다. 3마리가 더 날아왔습니다. 비둘기는 모두 몇 마리일까요?

식 _____ 답 _____ 마리

3 덧셈식으로 뺄셈식 2개, 뺄셈식으로 덧셈식 2개를 만드세요.

7 + 2 = 9

☐ − ☐ = ☐

☐ − ☐ = ☐

4 − 3 = 1

☐ + ☐ = ☐

☐ + ☐ = ☐

4 세 수로 묶은 다음, 가로 또는 세로 방향으로 **+** 또는 **−**와
=를 넣어 덧셈식과 뺄셈식 **3**개를 만드세요.

5 주어진 수를 이용하여 덧셈식 **2**개와 뺄셈식 **2**개를 만드세요.

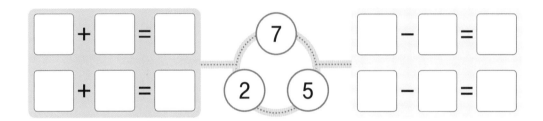

6 ◯ 안에 알맞은 수를 쓰고, 관계있는 것끼리 선으로 이으세요.

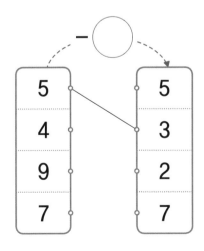

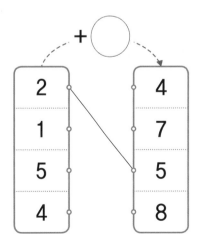

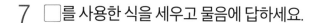

7 ☐를 사용한 식을 세우고 물음에 답하세요.

빨간색 자동차가 **3**대 있고, 파란색 자동차가 몇 대 있습니다. 자동차는 모두 **7**대 있습니다. 파란색 자동차는 몇 대 있을까요?

식 ＿＿＿＿＿＿＿＿＿＿＿＿＿　　**답** ＿＿＿＿＿＿ 대

8 왼쪽은 두 수의 합, 오른쪽은 두 수의 차입니다. 두 수를 찾아 모두 ◯표 하세요.

합		차
8	2 3 4 5 6	4

9 농구공과 축구공이 모두 **9**개 있습니다. 축구공이 농구공보다 **3**개 더 많습니다. 농구공과 축구공은 각각 몇 개일까요?

농구공: ☐ 개, 축구공: ☐ 개

4주차

세 수의 계산

한 자리 세 수의 덧셈과 뺄셈

세 수의 계산

개념
원리

그림을 보고 ☐ 안에 알맞은 수를 써 봅시다.

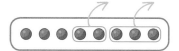

$$8 - 3 - 2$$

$$\boxed{5} - 2 = \boxed{3}$$

앞의 두 수를 먼저 계산한 다음 나머지 수를 계산합니다.

$6 + 2 - 5$

$$\boxed{} - 5 = \boxed{}$$

$7 - 2 - 3$

$$\boxed{} - 3 = \boxed{}$$

$9 - 2 - 2$

$$\boxed{} - 2 = \boxed{}$$

$4 + 1 - 3$

$$\boxed{} - 3 = \boxed{}$$

$7 - 3 + 4$

$$\boxed{} + 4 = \boxed{}$$

$3 + 3 - 2$

$$\boxed{} - 2 = \boxed{}$$

$2 + 7 - 3$

$$\boxed{} - 3 = \boxed{}$$

$5 - 1 + 3$

$$\boxed{} + 3 = \boxed{}$$

$7 + 1 - 6 =$ ☐

$3 + 5 - 4 =$ ☐

$2 + 5 - 4 =$ ☐

$1 + 4 - 2 =$ ☐

$7 - 4 - 1 =$ ☐

$6 + 2 - 5 =$ ☐

$8 - 2 + 3 =$ ☐

$6 + 3 - 8 =$ ☐

$2 + 6 - 3 =$ ☐

$4 + 4 - 6 =$ ☐

$2 + 7 - 5 =$ ☐

$4 + 1 - 1 =$ ☐

$5 + 1 - 2 =$ ☐

$3 + 3 - 1 =$ ☐

$5 - 3 + 4 =$ ☐

$4 + 2 - 2 =$ ☐

$5 - 1 - 2 =$ ☐

$2 + 1 - 2 =$ ☐

1 계산 결과에 맞게 길을 그리세요.

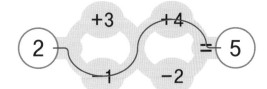

2 +3 +4 = 5
-1 -2

4 +1 +3 = 8
-2 -4

5 +1 +4 = 4
-3 -2

7 +4 +1 = 3
-5 -2

3 +1 +5 = 9
-2 -4

6 +4 +2 = 5
-3 -1

7 +4 +3 = 8
-2 -1

9 +3 +4 = 6
-1 -2

8 +2 +4 = 4
-1 -3

5 +1 +3 = 6
-2 -4

2 사다리를 타고 내려가는 길의 계산에 맞게 빈칸에 알맞은 수를 쓰세요.

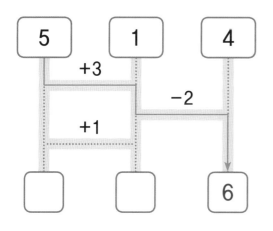
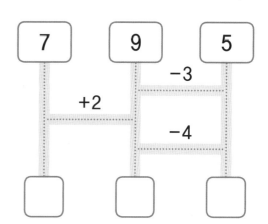

3 ◯ 안에 **+** 또는 **−**를 쓰고, 식과 답을 완성하세요.

승호는 구슬을 **8**개 가지고 있었습니다. **4**개를 형철이에게 주고, 은정이에게 **5**개를 받았습니다. 승호가 가지고 있는 구슬은 몇 개일까요?

식 8 ◯ 4 ◯ 5 = ☐   **답** ＿＿＿＿ 개

종현이는 사탕을 **9**개 가지고 있었습니다. 누나에게 **4**개를 주고, 동생에게 **3**개를 주었습니다. 종현이가 가지고 있는 사탕은 몇 개일까요?

식 9 ◯ 4 ◯ 3 = ☐   **답** ＿＿＿＿ 개

□가 있는 세 수의 계산

수직선을 보고 □ 안에 알맞은 수를 써 봅시다.

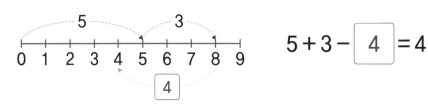

$$5 + 3 - \boxed{4} = 4$$

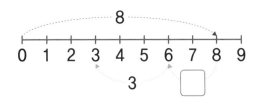

$$8 - \boxed{} - 3 = 3$$

$$\boxed{} + 5 - 6 = 3$$

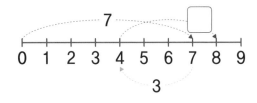

$$7 - 3 + \boxed{} = 8$$

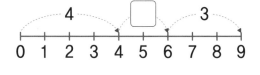

$$4 + \boxed{} + 3 = 9$$

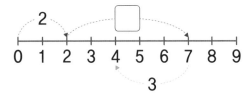

$$2 + \boxed{} - 3 = 4$$

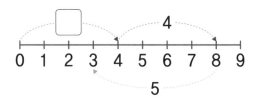

$$\boxed{} + 4 - 5 = 3$$

$7 - 3 - \boxed{} = 3$　　$\boxed{} - 3 + 1 = 6$　　$2 + \boxed{} - 3 = 3$

$3 - \boxed{} + 4 = 5$　　$4 + \boxed{} - 2 = 3$　　$\boxed{} - 2 + 4 = 8$

$\boxed{} + 3 - 6 = 2$　　$6 - 3 + \boxed{} = 4$　　$7 + 2 - \boxed{} = 4$

$7 - \boxed{} + 3 = 8$　　$8 - \boxed{} - 2 = 2$　　$4 - \boxed{} + 3 = 5$

$4 + 1 + \boxed{} = 7$　　$\boxed{} + 5 - 2 = 7$　　$3 + 2 + \boxed{} = 8$

$3 + \boxed{} - 2 = 5$　　$2 + \boxed{} + 1 = 9$　　$7 - \boxed{} + 2 = 3$

1 ★ 안의 수 중에서 한 개의 수를 사용하여 식을 완성하세요.

$8 - \boxed{3} - 3 = 2$

$\boxed{} - 2 + 1 = 6$

$6 + 3 - \boxed{} = 7$

$\boxed{} + 2 + 1 = 7$

2 ★ 안의 수 중에서 두 개의 수를 사용하여 식을 완성하세요.

$\boxed{8} - 4 + \boxed{1} = 5$

$\boxed{} - 2 + \boxed{} = 5$

$\boxed{} - 2 - \boxed{} = 3$

$\boxed{} + \boxed{} - 1 = 6$

3 빈 곳에 알맞은 수를 쓰세요.

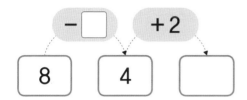

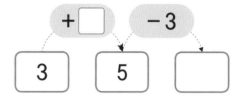

4 물음에 맞는 식에 ○표 하고, 답을 구하세요.

진호는 색종이를 5장 가지고 있었습니다. 수진이에게 노란색 색종이 몇 장을 받고, 파란색 색종이 3장을 주었더니 6장이 되었습니다. 노란색 색종이를 몇 장 받았을까요?

| $5 + \square - 3 = 6$ | $5 - \square + 3 = 6$ | $6 - \square - 3 = 5$ |

답 _____ 장

버스에 7명이 타고 있었습니다. 첫 번째 정류장에서 2명이 내리고, 두 번째 정류장에서 몇 명이 타서 6명이 되었습니다. 두 번째 정류장에서는 몇 명이 탔을까요?

| $7 + 2 + \square = 6$ | $7 - 2 + \square = 6$ | $6 - 2 + \square = 7$ |

답 _____ 명

수 만들기

개념
원리

수 사이에 **+** 또는 **−**를 여러 가지 방법으로 넣었습니다. 계산을 해 봅시다.

$5 + 1 + 2 = \boxed{8}$　　　　$5 - 1 + 2 = \boxed{6}$

$5 + 1 - 2 = \boxed{4}$　　　　$5 - 1 - 2 = \boxed{2}$

세 수의 계산을 할 때 **+**, **−**를 넣는 방법은 **4**가지가 있습니다.

$5 + 3 + 1 = \boxed{}$　　　　$7 + 1 + 1 = \boxed{}$

$5 + 3 - 1 = \boxed{}$　　　　$7 + 1 - 1 = \boxed{}$

$5 - 3 + 1 = \boxed{}$　　　　$7 - 1 + 1 = \boxed{}$

$5 - 3 - 1 = \boxed{}$　　　　$7 - 1 - 1 = \boxed{}$

$6 + 2 + 1 = \boxed{}$　　　　$5 + 2 + 2 = \boxed{}$

$6 + 2 - 1 = \boxed{}$　　　　$5 + 2 - 2 = \boxed{}$

$6 - 2 + 1 = \boxed{}$　　　　$5 - 2 + 2 = \boxed{}$

$6 - 2 - 1 = \boxed{}$　　　　$5 - 2 - 2 = \boxed{}$

$3 \boxed{+} 5 \boxed{-} 2 = 6$

$8 \bigcirc 3 \bigcirc 4 = 9$

$4 \bigcirc 2 \bigcirc 1 = 7$

$7 \bigcirc 4 \bigcirc 2 = 5$

$6 \bigcirc 2 \bigcirc 5 = 3$

$4 \bigcirc 3 \bigcirc 5 = 6$

$6 \bigcirc 3 \bigcirc 7 = 2$

$7 \bigcirc 2 \bigcirc 4 = 9$

$8 \bigcirc 6 \bigcirc 3 = 5$

$7 \bigcirc 1 \bigcirc 4 = 4$

$6 \bigcirc 4 \bigcirc 6 = 8$

$2 \bigcirc 3 \bigcirc 2 = 7$

$7 \bigcirc 5 \bigcirc 3 = 5$

$5 \bigcirc 4 \bigcirc 3 = 6$

$8 \bigcirc 2 \bigcirc 4 = 2$

$4 \bigcirc 4 \bigcirc 3 = 5$

1 계산 결과에 맞게 길을 그리세요.

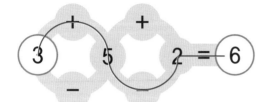

5 + 2 - 5 = 8

7 + 3 - 5 = 9

2 계산 결과에 맞게 선을 이으세요.

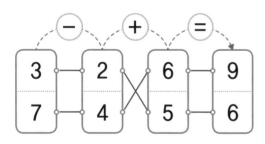

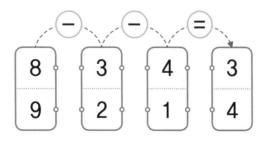

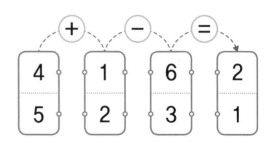

3 주어진 수를 한 번씩 모두 사용하여 식을 완성하세요.

$$\boxed{} - \boxed{} + \boxed{} = 8$$

3   2   9

$$\boxed{} + \boxed{} - \boxed{} = 4$$

3   4   5

$$\boxed{} + \boxed{} - \boxed{} = 2$$

7   5   4

$$\boxed{} - \boxed{} - \boxed{} = 2$$

2   8   4

4 다음은 숫자 1, 3, 9와 +, −를 사용하여 1부터 9까지의 수를 만든 것입니다. 빈칸에 알맞은
식을 쓰세요.

1	1	6	9−3
2	3−1	7	
3	3	8	
4		9	9
5	9−3−1		

거꾸로 계산하기

개념
원리

거꾸로 계산하여 봅시다.

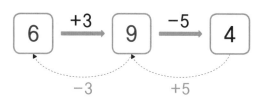

거꾸로 계산할 때는
+는 −, −는 +로 계산합니다.

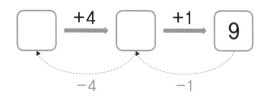

$\boxed{}$ $\xrightarrow{-5}$ $\boxed{}$ $\xrightarrow{+6}$ $\boxed{7}$
$+5$ -6

$\boxed{}$ $\xrightarrow{+1}$ $\boxed{}$ $\xrightarrow{-2}$ $\boxed{2}$
-1 $+2$

$\boxed{}$ $\xrightarrow{-6}$ $\boxed{}$ $\xrightarrow{+5}$ $\boxed{7}$
$+6$ -5

$\boxed{}$ $\xrightarrow{-2}$ $\boxed{}$ $\xrightarrow{-3}$ $\boxed{3}$

$\boxed{}$ $\xrightarrow{+3}$ $\boxed{}$ $\xrightarrow{-6}$ $\boxed{3}$

$\boxed{}$ $\xrightarrow{+2}$ $\boxed{}$ $\xrightarrow{+3}$ $\boxed{8}$

$\boxed{}$ $\xrightarrow{-5}$ $\boxed{}$ $\xrightarrow{+4}$ $\boxed{7}$

$\square - 2 - 4 = 2$ $\square - 2 - 3 = 1$ $\square + 2 + 3 = 7$

$\square + 2 - 3 = 3$ $\square - 3 + 4 = 5$ $\square - 4 + 1 = 6$

$\square - 3 - 2 = 3$ $\square + 2 - 3 = 4$ $\square - 3 + 1 = 5$

$\square + 1 - 2 = 4$ $\square - 1 + 6 = 7$ $\square + 4 - 3 = 6$

$\square + 2 + 3 = 8$ $\square + 2 - 4 = 4$ $\square - 2 + 3 = 9$

$\square - 2 - 3 = 3$ $\square - 1 + 4 = 6$ $\square + 3 - 1 = 5$

1 빈칸을 모두 채우세요.

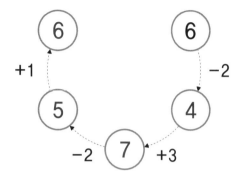

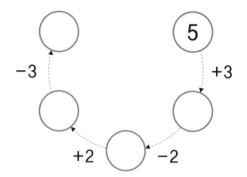

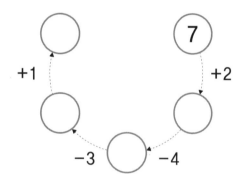

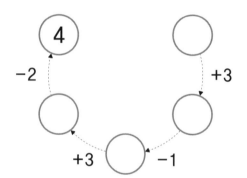

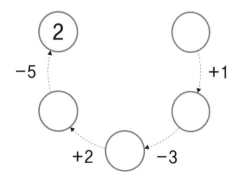

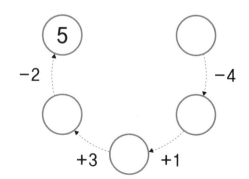

2 빈칸에 알맞은 수를 쓰세요.

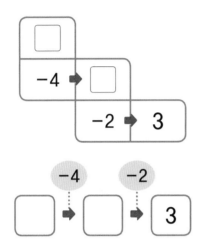

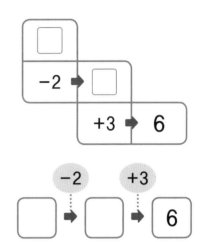

3 아이스크림이 몇 개 있었습니다. 영수가 2개, 동생이 3개를 먹고 2개가 남았습니다. 처음 아이스크림은 몇 개 있었을까요?

답 _____ 개

4 공원에 의자가 있습니다. 새 의자 3개를 더 놓고, 망가진 의자 2개를 빼냈더니 의자가 7개가 되었습니다. 처음에 있었던 의자는 몇 개일까요?

답 _____ 개

1 계산 결과에 맞게 길을 그리세요.

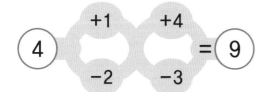

2 재현이는 공책을 7권 가지고 있었습니다. 동생에게 2권을 주고, 형에게 3권을 받았습니다.
재현이가 가지고 있는 공책은 몇 권일까요? ◯ 안에 **+** 또는 **−**를 쓰고, 식과 답을 완성하세요.

식 7 ◯ 2 ◯ 3 = ☐   답 _____ 권

3 ★ 안의 수 중에서 두 개의 수를 사용하여 식을 완성하세요.

☐ − 4 − ☐ = 1

☐ + ☐ − 5 = 4

4 물음에 맞는 식에 ◯표 하고, 답을 구하세요.

정우는 풍선을 7개 가지고 있었습니다. 형에게 풍선을 몇 개 주고, 동생에게 풍선을 2개 받았더니 풍선이 6개가 되었습니다. 정우가 형에게 준 풍선은 몇 개일까요?

$$7 + \boxed{} - 2 = 6 \qquad 7 - \boxed{} + 2 = 6 \qquad 2 + \boxed{} + 6 = 7$$

답 _____ 개

5 ◯ 안에 + 또는 −를 채우세요.

$$4 \bigcirc 3 \bigcirc 5 = 2 \qquad\qquad 4 \bigcirc 2 \bigcirc 6 = 8$$

$$5 \bigcirc 3 \bigcirc 1 = 9 \qquad\qquad 3 \bigcirc 5 \bigcirc 2 = 6$$

6 주어진 수를 한 번씩 사용하여 식을 완성하세요.

$$\boxed{} - \boxed{} + \boxed{} = 4 \qquad\qquad \boxed{} + \boxed{} - \boxed{} = 3$$

| 4 2 6 | | 7 2 6 |

7 거꾸로 계산하여 빈칸에 알맞은 수를 쓰세요.

8 빈칸을 모두 채우세요.

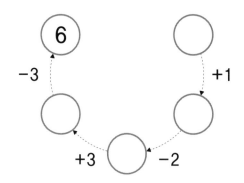

9 전깃줄에 참새가 앉아 있습니다. 3마리가 날아가고, 1마리가 날아와 앉아서 4마리가 되었습니다. 처음에 앉아 있던 참새는 몇 마리일까요?

	−3		+1	

답 _____ 마리

상위권으로 가는 문제 해결 연산 학습지

정답

응용
연산

S4
6~7세

한 자리 수끼리의 덧셈과 뺄셈

Creative to Math
씨투엠

뺄셈하기

049 빼기

개념원리

빈칸에 ○를 그리고, 뺄셈식을 완성해 봅시다.

$9 - 4 = 5$

9개에서 4개를 빼면 5개가 남습니다.

$6 - 3 = 3$

6개에서 3개를 지우면 3개가 남습니다.

$8 - 2 = 6$

$5 - 3 = 2$

$7 - 5 = 2$

$8 - 1 = 7$

$9 - 2 = 7$ $8 - 4 = 4$ $7 - 1 = 6$

$6 - 2 = 4$ $4 - 2 = 2$ $8 - 3 = 5$

$3 - 1 = 2$ $9 - 3 = 6$ $8 - 6 = 2$

$5 - 4 = 1$ $7 - 2 = 5$ $6 - 3 = 3$

$$\begin{array}{r} 7 \\ -5 \\ \hline 2 \end{array}\qquad \begin{array}{r} 9 \\ -6 \\ \hline 3 \end{array}\qquad \begin{array}{r} 8 \\ -5 \\ \hline 3 \end{array}\qquad \begin{array}{r} 3 \\ -1 \\ \hline 2 \end{array}$$

$$\begin{array}{r} 9 \\ -4 \\ \hline 5 \end{array}\qquad \begin{array}{r} 5 \\ -2 \\ \hline 3 \end{array}\qquad \begin{array}{r} 7 \\ -3 \\ \hline 4 \end{array}\qquad \begin{array}{r} 6 \\ -4 \\ \hline 2 \end{array}$$

응용연산

1 계산을 한 다음 알맞게 선으로 이으세요.

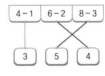

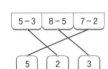

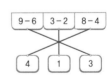

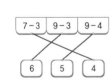

3 가장 큰 수에서 가장 작은 수를 뺀 값을 구하세요.

 8 3 2 5

$8 - 2 = 6$

 2 7 1 4

$7 - 1 = 6$

4 그림을 보고 식과 답을 쓰세요.

먹고 남은 아이스크림은 몇 개일까요?

 식 $9 - 2 = 7$ 답 7 개

연못에 오리 8마리가 있었습니다. 그중에서 3마리가 연못 밖으로 나왔습니다. 연못에는 오리 몇 마리가 남아 있을까요?

 식 $8 - 3 = 5$ 답 5 마리

2 관계있는 것끼리 선으로 이으세요.

두 수의 차

2일
050

하나씩 선으로 잇고 두 수의 차를 구해 봅시다.

5 8

$8 - 5 = 3$

5와 8의 차는 큰 수 8에서
작은 수 5를 뺀 3입니다.

9 3

$9 - 3 = 6$

4 2

$4 - 2 = 2$

2 5

$5 - 2 = 3$

8 4

$8 - 4 = 4$

8 6

$8 - 6 = 2$

3 6

$6 - 3 = 3$

3 7 $7 - 3 = 4$

9 1 $9 - 1 = 8$

두 수의 차를 구하세요

8 3 $8 - 3 = 5$ 5 7 $7 - 5 = 2$

4 6 $6 - 4 = 2$ 9 6 $9 - 6 = 3$

6 2 $6 - 2 = 4$ 1 5 $5 - 1 = 4$

1 7 $7 - 1 = 6$ 2 3 $3 - 2 = 1$

7 9 $9 - 7 = 2$ 7 2 $7 - 2 = 5$

6 3 $6 - 3 = 3$ 8 9 $9 - 8 = 1$

응용연산

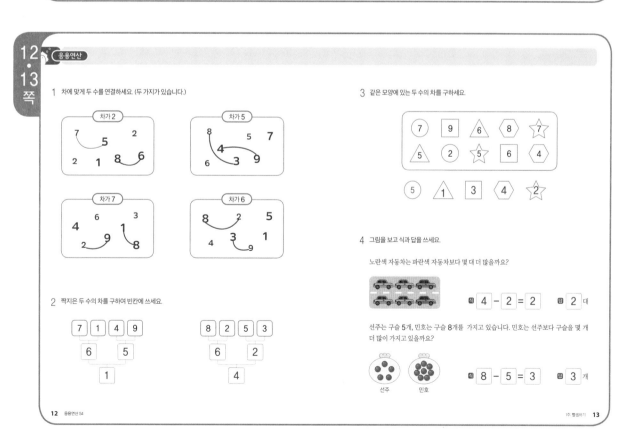

1 차에 맞게 두 수를 연결하세요. (두 가지가 있습니다.)

차가 2

7   5   2
2   1   8   6

차가 5

2   5   7
4   3
6   9

차가 7

4   6   1
2   9   8

차가 6

8   7   5
4   3   1
9

2 짝지은 두 수의 차를 구하여 빈칸에 쓰세요.

7 1 4 9

6   5

1

8 2 5 3

6   2

4

3 같은 모양에 있는 두 수의 차를 구하세요.

7 9 6 8 7
5 2 5 6 4

5 1 3 4 2

4 그림을 보고 식과 답을 쓰세요.

노란색 자동차는 파란색 자동차보다 몇 대 더 많을까요?

식 $4 - 2 = 2$ 답 2 대

선주는 구슬 5개, 민호는 구슬 8개를 가지고 있습니다. 민호는 선주보다 구슬을 몇 개 더 많이 가지고 있을까요?

선주   민호

식 $8 - 5 = 3$ 답 3 개

정답 및 해설   **3**

14·15쪽 · 3일 C 051 — 뺄셈식 만들기

올바른 뺄셈식을 따라 미로를 통과하려 합니다. 뺄셈식에 맞게 미로를 따라 =를 써 봅시다.

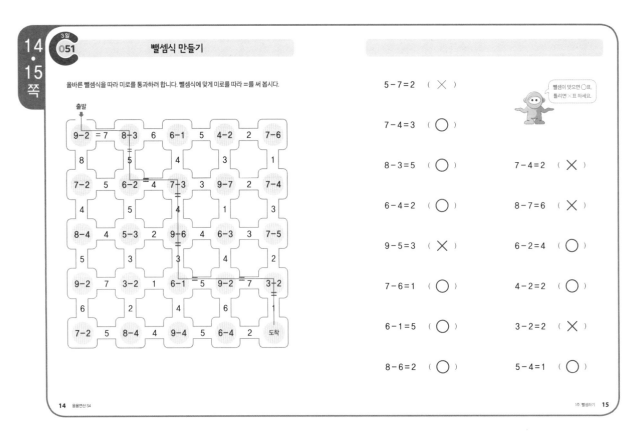

뺄셈이 맞으면 ○표, 틀리면 ×표 하세요.

$5 - 7 = 2$ (×)

$7 - 4 = 3$ (○)

$8 - 3 = 5$ (○) $7 - 4 = 2$ (×)

$6 - 4 = 2$ (○) $8 - 7 = 6$ (×)

$9 - 5 = 3$ (×) $6 - 2 = 4$ (○)

$7 - 6 = 1$ (○) $4 - 2 = 2$ (○)

$6 - 1 = 5$ (○) $3 - 2 = 2$ (×)

$8 - 6 = 2$ (○) $5 - 4 = 1$ (○)

16·17쪽 · 응용연산

1 세 수를 묶은 다음, 가로 또는 세로 방향으로 −와 =를 넣어 뺄셈식을 만드세요.

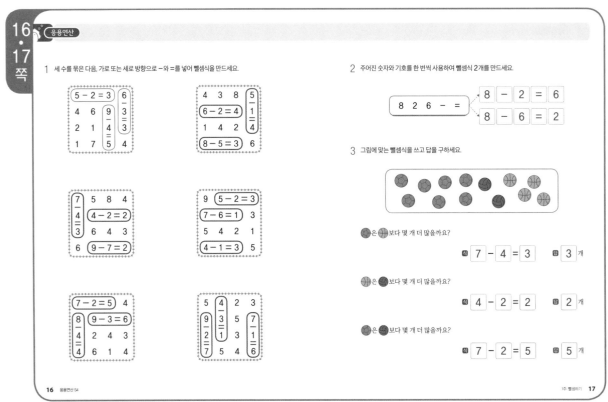

2 주어진 숫자와 기호를 한 번씩 사용하여 뺄셈식 2개를 만드세요.

8 2 6 − =

$8 - 2 = 6$
$8 - 6 = 2$

3 그림에 맞는 뺄셈식을 쓰고 답을 구하세요.

⚽은 🏀보다 몇 개 더 많을까요?
식 $7 - 4 = 3$ 답 3 개

🏀은 ⚽보다 몇 개 더 많을까요?
식 $4 - 2 = 2$ 답 2 개

⚽은 🏀보다 몇 개 더 많을까요?
식 $7 - 2 = 5$ 답 5 개

4일

052 차가 되는 여러 두 수

빈칸에 알맞은 수를 쓰고 차가 같은 뺄셈식을 만들어 봅시다.

5 큰 수

1	6
2	7
3	8
4	9

$6 - 1 = 5$　　$8 - 3 = 5$

$7 - 2 = 5$　　$9 - 4 = 5$

어떤 수와 그 수보다 5 큰 수의 차는 5입니다.

3 큰 수

3	6
4	7
5	8
6	9

$6 - 3 = 3$　　$8 - 5 = 3$

$7 - 4 = 3$　　$9 - 6 = 3$

1 큰 수

5	6
6	7
7	8
8	9

$6 - 5 = 1$　　$8 - 7 = 1$

$7 - 6 = 1$　　$9 - 8 = 1$

두 수의 차가 6

$9 - 3 = 6$

$8 - 2 = 6$

$7 - 1 = 6$

1 부터 9까지의 수를 사용하여 차가 같은 뺄셈식을 만드세요.

두 수의 차가 4

$9 - 5 = 4$　　$6 - 2 = 4$

$8 - 4 = 4$　　$5 - 1 = 4$

$7 - 3 = 4$

두 수의 차가 3

$9 - 6 = 3$　　$6 - 3 = 3$

$8 - 5 = 3$　　$5 - 2 = 3$

$7 - 4 = 3$　　$4 - 1 = 3$

두 수의 차가 5

$9 - 4 = 5$　　$7 - 2 = 5$

$8 - 3 = 5$　　$6 - 1 = 5$

응용연산

1 ☆ 안의 수가 차가 되는 두 수를 모두 찾아 선으로 이으세요.

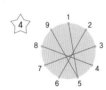
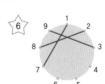
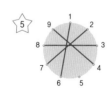
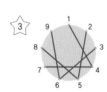

2 가로, 세로 방향으로 차가 ✿ 안의 수가 되는 두 수를 묶으세요.

3 1, 2, 3, 4, 5, 6, 7, 8을 한 번씩 사용하여 뺄셈식 4개를 모두 완성하세요.

$8 - 4 = 4$　　$6 - 2 = 4$

$7 - 3 = 4$　　$5 - 1 = 4$

4 주머니 안의 수를 한 번씩 사용하여 차가 같은 뺄셈식을 만드세요. (두 가지 방법이 있습니다.)

$6 - 4 = 2$　　$7 - 4 = 3$

$9 - 7 = 2$　　$9 - 6 = 3$

$2 - 1 = 1$　　$8 - 1 = 7$

$9 - 8 = 1$　　$9 - 2 = 7$

$6 - 5 = 1$　　$5 - 2 = 3$

$3 - 2 = 1$　　$6 - 3 = 3$

정답 및 해설

22 · 23쪽

형성평가

1 계산을 한 다음 알맞게 선으로 이으세요.

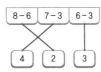

2 울타리 안에 양이 7마리 있었습니다. 그중에서 양 2마리가 울타리 밖으로 나오면 울타리 안에는 양 몇 마리가 남을까요?

식 $7 - 2 = 5$ 답 5 마리

3 차에 맞게 두 수를 연결하세요. (두 가지가 있습니다.)

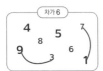

4 볼펜을 하나는 4개, 혜영이는 7개 가지고 있습니다. 혜영이는 하나보다 볼펜을 몇 개 더 많이 가지고 있을까요?

식 $7 - 4 = 3$ 답 3 개

5 세 수를 묶은 다음, 가로 또는 세로 방향으로 −와 =를 넣어 뺄셈식 3개를 만드세요.

6 주어진 숫자와 기호를 한 번씩 사용하여 뺄셈식 2개를 만드세요.

6 4 2 − = → $6 - 4 = 2$
                  $6 - 2 = 4$

22 응용연산 S4   1주 뺄셈하기 23

24쪽

7 1부터 9까지의 수를 사용하여 차가 3이 되는 식을 모두 만드세요.

$9 - 6 = 3$ $8 - 5 = 3$ $7 - 4 = 3$

$6 - 3 = 3$ $5 - 2 = 3$ $4 - 1 = 3$

8 ☆ 안의 수가 차가 되는 두 수를 모두 찾아 선으로 연결하세요.

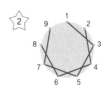

9 주머니 안의 수를 한 번씩 사용하여 차가 같은 뺄셈식을 만드세요.

$3 - 2 = 1$ $7 - 2 = 5$

$8 - 7 = 1$ $8 - 3 = 5$

24 응용연산 S4

6   응용연산 S4

□가 있는 뺄셈

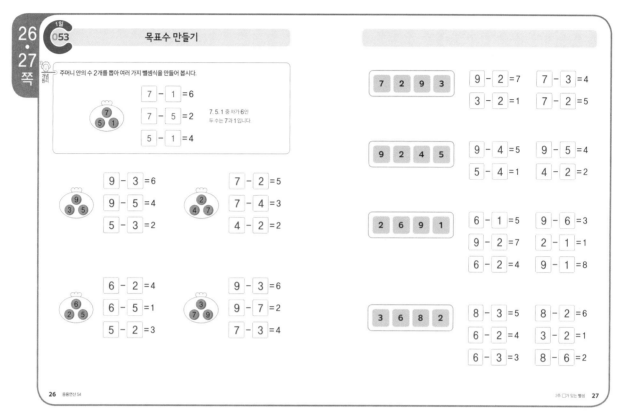

26·27쪽

053 목표수 만들기

주머니 안의 수 2개를 뽑아 여러 가지 뺄셈식을 만들어 봅시다.

$7 - 1 = 6$
$7 - 5 = 2$
$5 - 1 = 4$

7, 5, 1 중 차가 6인 두 수는 7과 1입니다

$9 - 3 = 6$
$9 - 5 = 4$
$5 - 3 = 2$

$7 - 2 = 5$
$7 - 4 = 3$
$4 - 2 = 2$

$6 - 2 = 4$
$6 - 5 = 1$
$5 - 2 = 3$

$9 - 3 = 6$
$9 - 7 = 2$
$7 - 3 = 4$

[7] [2] [9] [3]
$9 - 2 = 7$ $7 - 3 = 4$
$3 - 2 = 1$ $7 - 2 = 5$

[9] [2] [4] [5]
$9 - 4 = 5$ $9 - 5 = 4$
$5 - 4 = 1$ $4 - 2 = 2$

[2] [6] [9] [1]
$6 - 1 = 5$ $9 - 6 = 3$
$9 - 2 = 7$ $2 - 1 = 1$
$6 - 2 = 4$ $9 - 1 = 8$

[3] [6] [8] [2]
$8 - 3 = 5$ $8 - 2 = 6$
$6 - 2 = 4$ $3 - 2 = 1$
$6 - 3 = 3$ $8 - 6 = 2$

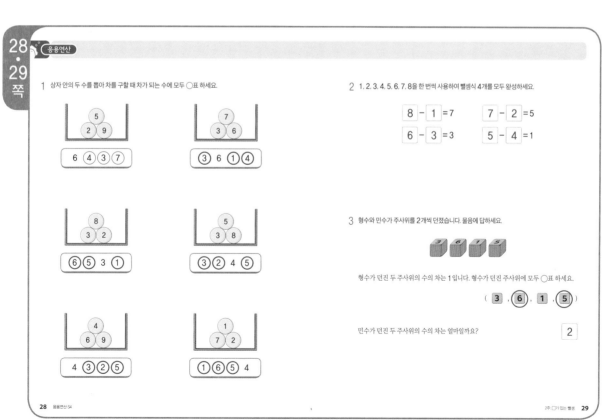

28·29쪽

응용연산

1 상자 안의 두 수를 뽑아 차를 구할 때 차가 되는 수에 모두 ◯표 하세요.

⑤ ② ⑨
6 ④ ③ ⑦

⑦ ③ ⑥
③ 6 ① ④

⑧ ③ ②
⑥⑤ 3 ①

⑤ ③ ⑧
③② 4 ⑤

④ ⑥ ⑨
4 ③②⑤

① ⑦ ②
①⑥⑤ 4

2 1, 2, 3, 4, 5, 6, 7, 8을 한 번씩 사용하여 뺄셈식 4개를 모두 완성하세요.

$8 - 1 = 7$ $7 - 2 = 5$
$6 - 3 = 3$ $5 - 4 = 1$

3 형수와 민수가 주사위를 2개씩 던졌습니다. 물음에 답하세요.

[3] [6] [1] [5]

형수가 던진 두 주사위의 수의 차는 1입니다. 형수가 던진 주사위에 모두 ◯표 하세요.

(3 , ⑥ , 1 , ⑤)

민수가 던진 두 주사위의 수의 차는 얼마일까요?

2

30·31쪽

2일 **054** □가 있는 뺄셈

개념원리

빼는 수만큼 /로 지우고 □안에 알맞은 수를 써 봅시다.

●●●●●/ /
$7 - \boxed{2} = 5$
7에서 5를 남기고 지우려면 2만큼 /로 지워야 합니다.

●●●●●●●/ /
$\boxed{9} - 2 = 7$
빼는 수 2만큼 /로 지우면 9에서 남은 수는 7이 됩니다.

●●●●/
$5 - \boxed{1} = 4$

●/ / / /
$\boxed{5} - 4 = 1$

●●●/ / / / /
$8 - \boxed{5} = 3$

●●●/ / /
$\boxed{6} - 3 = 3$

●●●●●●/ / /
$9 - \boxed{3} = 6$

●●/ / / / / /
$\boxed{8} - 6 = 2$

●●●/ / / /
$7 - \boxed{4} = 3$

●/ / / / /
$\boxed{6} - 5 = 1$

$7 - \boxed{2} = 5$　　$\boxed{8} - 1 = 7$　　$3 - \boxed{2} = 1$

$5 - \boxed{1} = 4$　　$\boxed{6} - 3 = 3$　　$8 - \boxed{4} = 4$

$8 - \boxed{2} = 6$　　$\boxed{7} - 4 = 3$　　$5 - \boxed{2} = 3$

$4 - \boxed{3} = 1$　　$\boxed{8} - 3 = 5$　　$4 - \boxed{1} = 3$

$\begin{array}{r} 7 \\ - \boxed{6} \\ \hline 1 \end{array}$　　$\begin{array}{r} 6 \\ - \boxed{2} \\ \hline 4 \end{array}$　　$\begin{array}{r} 3 \\ - \boxed{1} \\ \hline 2 \end{array}$　　$\begin{array}{r} 9 \\ - \boxed{4} \\ \hline 5 \end{array}$

$\begin{array}{r} \boxed{5} \\ - 1 \\ \hline 4 \end{array}$　　$\begin{array}{r} \boxed{9} \\ - 5 \\ \hline 4 \end{array}$　　$\begin{array}{r} \boxed{8} \\ - 3 \\ \hline 5 \end{array}$　　$\begin{array}{r} \boxed{4} \\ - 2 \\ \hline 2 \end{array}$

32·33쪽

응용연산

1 □안에 들어갈 수에 맞게 선으로 이으세요.

$\boxed{5} - 2 = 3$
$8 - \boxed{6} = 2$
$\boxed{7} - 3 = 4$

7
5
6

$6 - \boxed{3} = 3$
$9 - \boxed{5} = 4$
$8 - \boxed{7} = 1$

2 위 두 수의 차가 아래의 수가 됩니다. 빈칸에 알맞은 수를 쓰세요.

7	2	6
5	4	
	1	

9	2	7
7	5	
	2	

9	3	8
6	5	
	1	

9	1	5
8	4	
	4	

3 ○안에 들어갈 수는 같습니다. 알맞은 수를 쓰세요.

$9 - \boxed{7} = \boxed{7} - 5$　　$\boxed{5} - 2 = 8 - \boxed{5}$

$\boxed{4} - 2 = 6 - \boxed{4}$　　$9 - \boxed{6} = \boxed{6} - 3$

4 그림을 보고 물음에 답하세요.

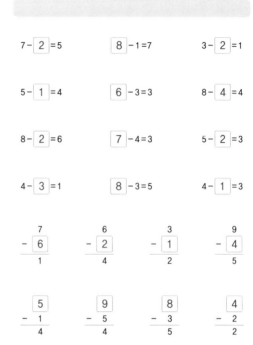

왼손에 있는 구슬은 몇 개일까요?

$\boxed{5}$ 개

컵 안에 들어 있는 쿠키는 몇 개일까요?

$\boxed{3}$ 개

5 교실에 9명이 있었습니다. 몇 명이 나가서 6명이 되었습니다. 교실을 나간 사람은 몇 명일까요?

$\boxed{3}$ 명

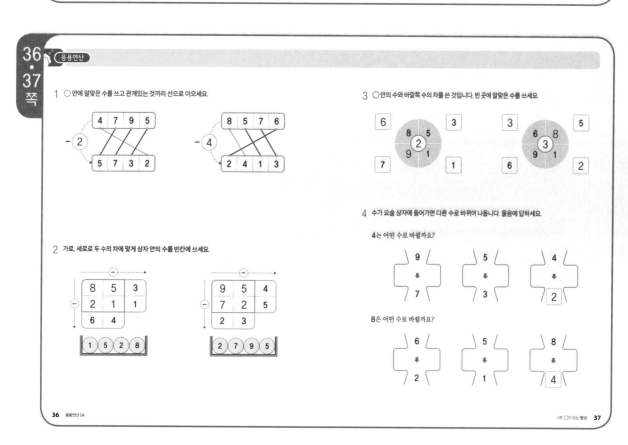

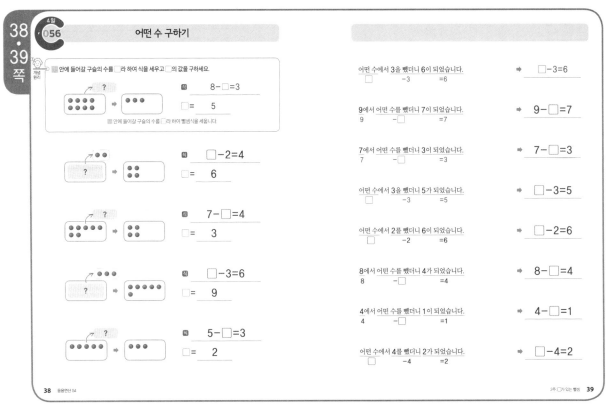

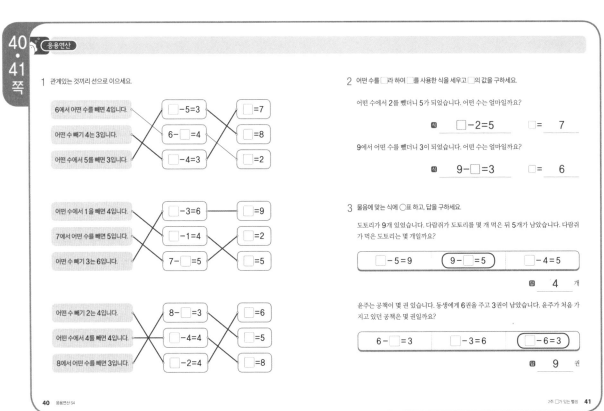

42·43쪽 5일 형성평가

1 숫자 카드 중에서 2장을 뽑아 뺄셈식을 만듭니다. □안에 알맞은 수를 쓰세요.

9 1 4 2

$9 - 2 = 7$ $4 - 2 = 2$
$9 - 4 = 5$ $4 - 1 = 3$
$2 - 1 = 1$ $9 - 1 = 8$

2 상자 안의 두 수를 뽑아 차를 구할 때, 차가 되는 수에 모두 ○표 하세요.

② 4 ③ ①

3 진우와 형철이가 각각 주사위를 2개씩 던졌습니다.

진우가 던진 두 주사위 수의 차가 3입니다. 형철이가 던진 두 주사위 수의 차는 얼마일까요?

5

4 위 두 수의 차가 아래의 수가 됩니다. 빈칸에 알맞은 수를 쓰세요.

3	7	2
	4	5
	1	

8	2	4
	6	2
	4	

5 버스에 6명이 있었습니다. 몇 명이 내려서 2명이 되었습니다. 버스에서 내린 사람은 몇 명일까요?

4 명

6 빈칸에 알맞은 수를 쓰세요.

−	5	7	4
8	3	1	4

−	4	1	2
7	3	6	5

44쪽

7 ○안에 알맞은 수를 쓰고 관계있는 것끼리 선으로 이으세요.

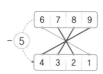

8 관계있는 것끼리 선으로 이으세요

어떤 수에서 6을 빼면 2입니다.	$7-□=2$	$□=5$
7에서 어떤 수를 빼면 2입니다.	$□-2=2$	$□=8$
어떤 수 빼기 2는 2입니다.	$□-6=2$	$□=4$

9 □를 사용한 식을 세우고 답을 구하세요.

사탕이 8개 있었습니다. 몇 개를 먹었더니 3개가 남았습니다. 몇 개를 먹었을까요?

식 $8-□=3$ 답 5 개

덧셈과 뺄셈

057 덧셈과 뺄셈

그림을 보고 덧셈식 또는 뺄셈식으로 써 봅시다.

$6+2=8$

6개에 2개를 더하면 8개가 됩니다.

$7-5=2$

7개에서 5개를 지우면 2개가 남습니다.

$5-1=4$

$4+3=7$

$2+5=7$

$9-6=3$

$8-3=5$

$4+4=8$

$3+3=6$

$6-2=4$

$4+3=\boxed{7}$　$6-3=\boxed{3}$　$4+2=\boxed{6}$

$7-1=\boxed{6}$　$4+4=\boxed{8}$　$9-2=\boxed{7}$

$3+2=\boxed{5}$　$9-2=\boxed{7}$　$8+1=\boxed{9}$

$5-4=\boxed{1}$　$3+3=\boxed{6}$　$7-6=\boxed{1}$

$$\begin{array}{r}5\\+\ 1\\\hline \boxed{6}\end{array}\quad\begin{array}{r}6\\-\ 2\\\hline \boxed{4}\end{array}\quad\begin{array}{r}7\\+\ 2\\\hline \boxed{9}\end{array}\quad\begin{array}{r}8\\-\ 6\\\hline \boxed{2}\end{array}$$

$$\begin{array}{r}9\\-\ 4\\\hline \boxed{5}\end{array}\quad\begin{array}{r}4\\+\ 3\\\hline \boxed{7}\end{array}\quad\begin{array}{r}5\\-\ 3\\\hline \boxed{2}\end{array}\quad\begin{array}{r}2\\+\ 6\\\hline \boxed{8}\end{array}$$

응용연산

1 계산을 한 다음 알맞게 선으로 이으세요.

8-5	3+3	9-1

8	3	6

4+3	8-2	2+3

7	5	6

4+2	8-3	7+2

5	6	9

2+3	6-3	4+5

9	5	3

6-2		5		4+2
9-3		4		2+2
7-2		6		1+4

5-3		6		3+3
9-5		2		1+1
8-2		4		2+2

2 ○안에 + 또는 −를 쓰고, 식과 답을 완성하세요.

나뭇가지에 참새 5마리가 앉아 있습니다. 참새 2마리가 더 날아왔습니다. 참새는 모두 몇 마리일까요?

식 $5\boxed{+}2=\boxed{7}$　답 $\boxed{7}$ 마리

나비 8마리가 있었습니다. 그중에서 3마리가 날아갔습니다. 나비는 몇 마리 남았을까요?

식 $8\boxed{-}3=\boxed{5}$　답 $\boxed{5}$ 마리

3 그림을 보고, 물음에 맞게 식과 답을 쓰세요.

컵 받침과 컵은 모두 몇 개일까요?

식 $5+3=8$　답 8 개

컵 받침은 컵보다 몇 개 더 많을까요?

식 $5-3=2$　답 2 개

058 2일

덧셈과 뺄셈의 관계

그림을 보고 덧셈식과 뺄셈식을 세웠습니다. □ 안에 알맞은 수를 써 봅시다.

4	2
6	

4 + 2 = 6   6 - 2 = 4

2 + 4 = 6   6 - 4 = 2

6에서 2를 빼면 4입니다.   6에서 4를 빼면 2입니다.

2	5
7	

2 + 5 = 7   7 - 2 = 5

5 + 2 = 7   7 - 5 = 2

3	6
9	

6 + 3 = 9   9 - 3 = 6

3 + 6 = 9   9 - 6 = 3

5 + 2 = 7

7 - 2 = 5
7 - 5 = 2

덧셈식을 이용하여 뺄셈식 2개를,
뺄셈식을 이용하여 덧셈식 2개를 만드세요.

1 + 3 = 4

4 - 3 = 1
4 - 1 = 3

4 + 5 = 9

9 - 4 = 5
9 - 5 = 4

8 - 2 = 6

2 + 6 = 8
6 + 2 = 8

6 - 1 = 5

1 + 5 = 6
5 + 1 = 6

9 - 2 = 7

2 + 7 = 9
7 + 2 = 9

7 - 3 = 4

3 + 4 = 7
4 + 3 = 7

응용연산

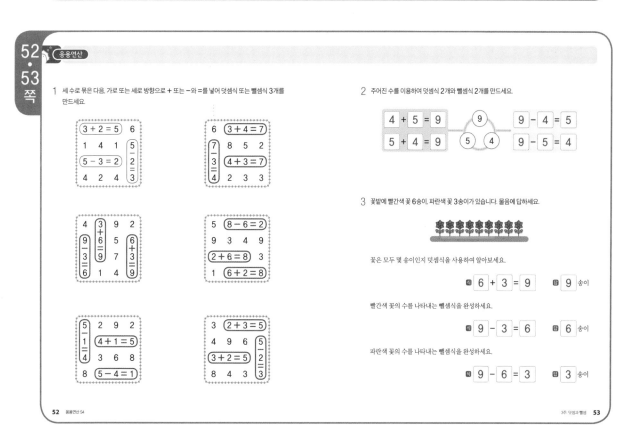

1 세 수로 묶은 다음, 가로 또는 세로 방향으로 + 또는 −와 =를 넣어 덧셈식 또는 뺄셈식 3개를 만드세요.

3 + 2 = 5	6
1	4	1
5 − 3 = 2	
4	2	4

6	3 + 4 = 7
8	5	2
3	4 + 3 = 7
4	2	3

4	3	9	2
9	+	5	6
3	6	9	3
6	1	4

| 5 | 8 − 6 = 2 |
| 3 | 4 | 9 |
| 2 + 6 = 8 |
| 1 | 6 + 2 = 8 |

5	2	9	2
1	4 + 1 = 5
4	3	6	8
8	5 − 4 = 1

| 2 + 3 = 5 |
| 4 | 9 | 6 |
| 3 + 2 = 5 |
| 8 | 4 | 3 |

2 주어진 수를 이용하여 덧셈식 2개와 뺄셈식 2개를 만드세요.

4 + 5 = 9   9 − 4 = 5

5 + 4 = 9   9 − 5 = 4

3 꽃밭에 빨간색 꽃 6송이, 파란색 꽃 3송이가 있습니다. 물음에 답하세요.

꽃은 모두 몇 송이인지 덧셈식을 사용하여 알아보세요.

6 + 3 = 9   9 송이

빨간색 꽃의 수를 나타내는 뺄셈식을 완성하세요.

9 − 3 = 6   6 송이

파란색 꽃의 수를 나타내는 뺄셈식을 완성하세요.

9 − 6 = 3   3 송이

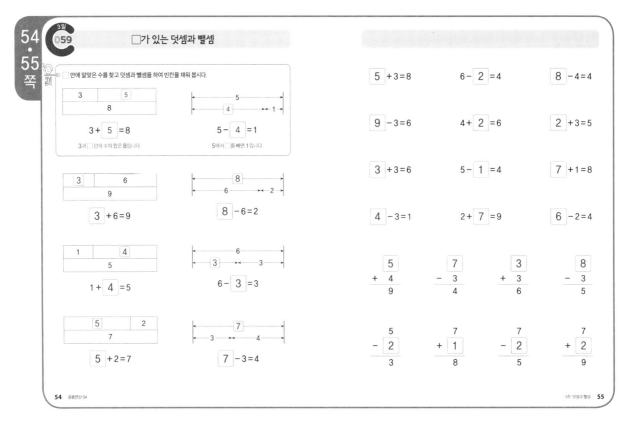

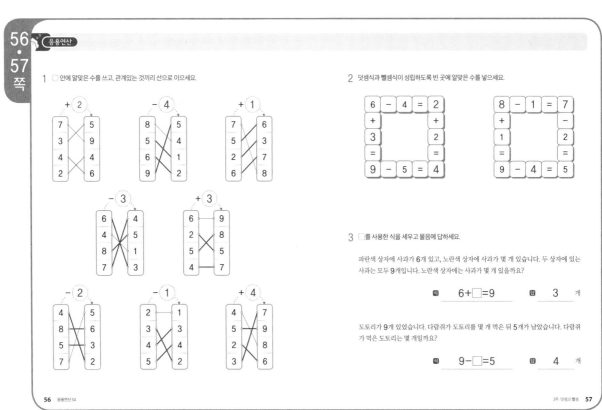

4일
060
합과 차

두 수의 합과 차를 구해 봅시다.

| 1 | 5 | 합 → 6 ←1+5 | 1과 5의 합은 5+1=6이고 |
| 차 → 4 ←5-1 | 1과 5의 차는 5-1=4입니다. 차는 큰 수에서 작은 수를 뺍니다. |

3	4	합 → 7	차 → 1
8	1	합 → 9	차 → 7
2	6	합 → 8	차 → 4

4	2	합 → 6	차 → 2
3	2	합 → 5	차 → 1
3	6	합 → 9	차 → 3

5	3	합 → 8	차 → 2
2	5	합 → 7	차 → 3
7	2	합 → 9	차 → 5

$4+1=\boxed{6}-1$ $\boxed{6}+1=9-2$ $3+5=9-\boxed{1}$

$2+\boxed{1}=5-2$ $1+\boxed{4}=9-4$ $4+3=\boxed{9}-2$

$\boxed{2}+1=4-1$ $5+2=\boxed{8}-1$ $\boxed{6}+2=9-1$

$2+\boxed{3}=7-2$ $2+2=7-\boxed{3}$ $2+\boxed{2}=6-2$

$2+3=\boxed{8}-3$ $1+5=\boxed{8}-2$ $3+3=9-\boxed{3}$

$1+4=6-\boxed{1}$ $\boxed{4}+2=7-1$ $\boxed{4}+4=9-1$

응용연산

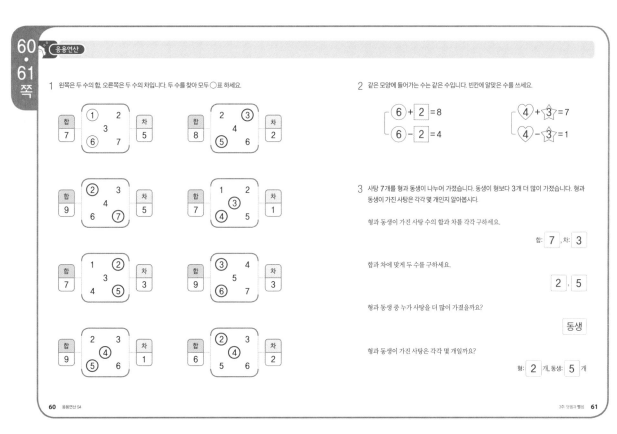

1 왼쪽은 두 수의 합, 오른쪽은 두 수의 차입니다. 두 수를 찾아 모두 ○표 하세요.

2 같은 모양에 들어가는 수는 같은 수입니다. 빈칸에 알맞은 수를 쓰세요.

$\boxed{6}+\boxed{2}=8$
$\boxed{6}-\boxed{2}=4$

$4+\boxed{3}=7$
$4-\boxed{3}=1$

3 사탕 7개를 형과 동생이 나누어 가졌습니다. 동생이 형보다 3개 더 많이 가졌습니다. 형과 동생이 가진 사탕은 각각 몇 개인지 알아봅시다.

형과 동생이 가진 사탕 수의 합과 차를 각각 구하세요.

합: 7 , 차: 3

합과 차에 맞게 두 수를 구하세요.

2 , 5

형과 동생 중 누가 사탕을 더 많이 가졌을까요?

동생

형과 동생이 가진 사탕은 각각 몇 개일까요?

형: 2 개, 동생: 5 개

62·63쪽

5일 형성평가

1 계산을 한 다음 알맞게 선으로 이으세요.

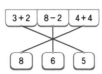

| 3+2 | 8-2 | 4+4 |

| 8 | 6 | 5 |

2 공원에 비둘기가 6마리가 앉아 있습니다. 3마리가 더 날아왔습니다. 비둘기는 모두 몇 마리일까요?

식 $6+3=9$ 답 9 마리

3 덧셈식으로 뺄셈식 2개, 뺄셈식으로 덧셈식 2개를 만드세요.

$7+2=9$

$9-2=7$
$9-7=2$

$4-3=1$

$1+3=4$
$3+1=4$

4 세 수로 묶은 다음, 가로 또는 세로 방향으로 + 또는 -와 =를 넣어 덧셈식과 뺄셈식 3개를 만드세요.

7	2 + 4 = 6
6	8	7	3
4	6 - 2 = 4
2	5	8	2

5 주어진 수를 이용하여 덧셈식 2개와 뺄셈식 2개를 만드세요.

$2 + 5 = 7$ 7 $7 - 2 = 5$

$5 + 2 = 7$ 2   5 $7 - 5 = 2$

6 ○안에 알맞은 수를 쓰고, 관계있는 것끼리 선으로 이으세요

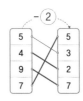

64쪽

7 □를 사용한 식을 세우고 물음에 답하세요.

빨간색 자동차가 3대 있고, 파란색 자동차가 몇 대 있습니다. 자동차는 모두 7대 있습니다. 파란색 자동차는 몇 대 있을까요?

식 $3+□=7$ 답 4 대

8 왼쪽은 두 수의 합, 오른쪽은 두 수의 차입니다. 두 수를 찾아 모두 ○표 하세요.

합	②	3	차
8		4		4
	5	⑥	

9 농구공과 축구공이 모두 9개 있습니다. 축구공이 농구공보다 3개 더 많습니다. 농구공과 축구공은 각각 몇 개일까요?

농구공: 3 개, 축구공: 6 개

세 수의 계산

061 세 수의 계산

그림을 보고 □안에 알맞은 수를 써 봅시다.

○○○○○○⦸⦸ 8 - 3 - 2

$\boxed{5} - 2 = \boxed{3}$

앞의 두 수를 먼저 계산한 다음 나머지 수를 계산합니다.

6 + 2 - 5
$\boxed{8} - 5 = \boxed{3}$

7 - 2 - 3
$\boxed{5} - 3 = \boxed{2}$

9 - 2 - 2
$\boxed{7} - 2 = \boxed{5}$

4 + 1 - 3
$\boxed{5} - 3 = \boxed{2}$

7 - 3 + 4
$\boxed{4} + 4 = \boxed{8}$

3 + 3 - 2
$\boxed{6} - 2 = \boxed{4}$

2 + 7 - 3
$\boxed{9} - 3 = \boxed{6}$

5 - 1 + 3
$\boxed{4} + 3 = \boxed{7}$

7 + 1 - 6 = $\boxed{2}$ 3 + 5 - 4 = $\boxed{4}$ 2 + 5 - 4 = $\boxed{3}$

1 + 4 - 2 = $\boxed{3}$ 7 - 4 - 1 = $\boxed{2}$ 6 + 2 - 5 = $\boxed{3}$

8 - 2 + 3 = $\boxed{9}$ 6 + 3 - 8 = $\boxed{1}$ 2 + 6 - 3 = $\boxed{5}$

4 + 4 - 6 = $\boxed{2}$ 2 + 7 - 5 = $\boxed{4}$ 4 + 1 - 1 = $\boxed{4}$

5 + 1 - 2 = $\boxed{4}$ 3 + 3 - 1 = $\boxed{5}$ 5 - 3 + 4 = $\boxed{6}$

4 + 2 - 2 = $\boxed{4}$ 5 - 1 - 2 = $\boxed{2}$ 2 + 1 - 2 = $\boxed{1}$

응용연산

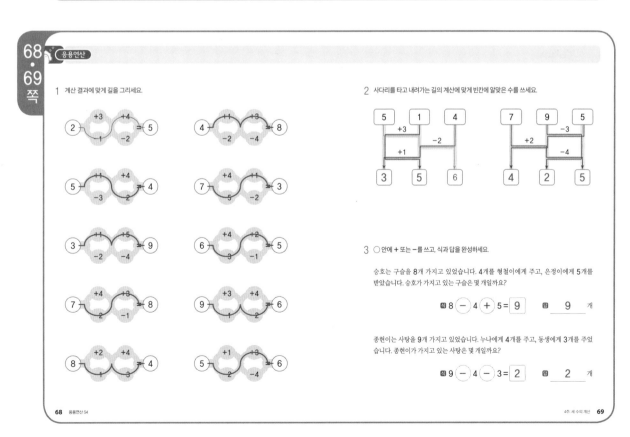

1 계산 결과에 맞게 길을 그리세요.

2 사다리를 타고 내려가는 길의 계산에 맞게 빈칸에 알맞은 수를 쓰세요.

3 ○안에 + 또는 −를 쓰고, 식과 답을 완성하세요.

승호는 구슬을 8개 가지고 있었습니다. 4개를 형철이에게 주고, 은정이에게 5개를 받았습니다. 승호가 가지고 있는 구슬은 몇 개일까요?

식 8 ⊖ 4 ⊕ 5 = $\boxed{9}$ 답 $\underline{9}$ 개

종현이는 사탕을 9개 가지고 있었습니다. 누나에게 4개를 주고, 동생에게 3개를 주었습니다. 종현이가 가지고 있는 사탕은 몇 개일까요?

식 9 ⊖ 4 ⊖ 3 = $\boxed{2}$ 답 $\underline{2}$ 개

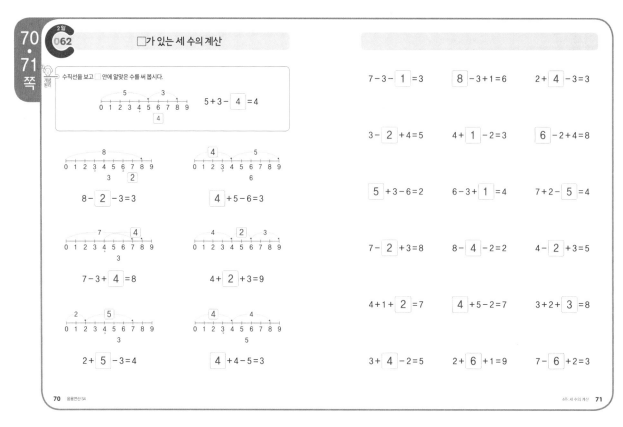

70·71쪽

□가 있는 세 수의 계산

수직선을 보고 □안에 알맞은 수를 써 봅시다.

5 + 3 - [4] = 4

[4]

8 - [2] - 3 = 3

[4] + 5 - 6 = 3

7 - 3 + [4] = 8

4 + [2] + 3 = 9

2 + [5] - 3 = 4

[4] + 4 - 5 = 3

7 - 3 - [1] = 3   [8] - 3 + 1 = 6   2 + [4] - 3 = 3

3 - [2] + 4 = 5   4 + [1] - 2 = 3   [6] - 2 + 4 = 8

[5] + 3 - 6 = 2   6 - 3 + [1] = 4   7 + 2 - [5] = 4

7 - [2] + 3 = 8   8 - [4] - 2 = 2   4 - [2] + 3 = 5

4 + 1 + [2] = 7   [4] + 5 - 2 = 7   3 + 2 + [3] = 8

3 + [4] - 2 = 5   2 + [6] + 1 = 9   7 - [6] + 2 = 3

72·73쪽

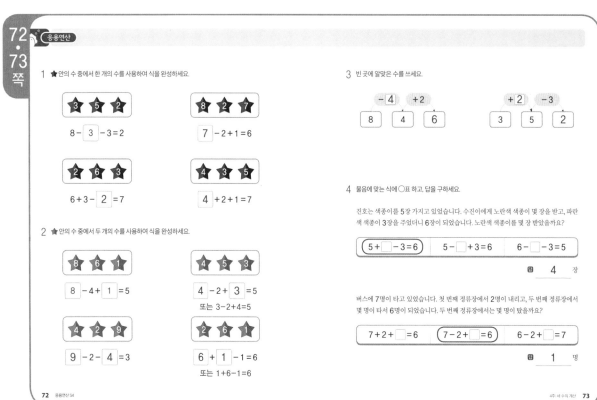

응용연산

1 ★안의 수 중에서 한 개의 수를 사용하여 식을 완성하세요.

[3 5 2]   8 - [3] - 3 = 2

[8 2 7]   [7] - 2 + 1 = 6

[2 6 3]   6 + 3 - [2] = 7

[4 3 5]   [4] + 2 + 1 = 7

2 ★안의 수 중에서 두 개의 수를 사용하여 식을 완성하세요.

[8 6 1]   [8] - 4 + [1] = 5

[4 5 3]   [4] - 2 + [3] = 5
또는 3 - 2 + 4 = 5

[4 2 9]   [9] - 2 - [4] = 3

[2 6 1]   [6] + [1] - 1 = 6
또는 1 + 6 - 1 = 6

3 빈 곳에 알맞은 수를 쓰세요.

8 → [-4] → 4 → [+2] → 6

3 → [+2] → 5 → [-3] → 2

4 물음에 맞는 식에 ○표 하고, 답을 구하세요.

진호는 색종이를 5장 가지고 있었습니다. 수진이에게 노란색 색종이 몇 장을 받고, 파란색 색종이 3장을 주었더니 6장이 되었습니다. 노란색 색종이를 몇 장 받았을까요?

([5 + □ - 3 = 6])   5 - □ + 3 = 6   6 - □ - 3 = 5

답 4 장

버스에 7명이 타고 있었습니다. 첫 번째 정류장에서 2명이 내리고, 두 번째 정류장에서 몇 명이 타서 6명이 되었습니다. 두 번째 정류장에서는 몇 명이 탔을까요?

7 + 2 + □ = 6   ([7 - 2 + □ = 6])   6 - 2 + □ = 7

답 1 명

C063 수 만들기 (3일)

수 사이에 + 또는 −를 여러 가지 방법으로 넣었습니다. 계산을 해 봅시다.

$5+1+2=$ 8 $5-1+2=$ 6
$5+1-2=$ 4 $5-1-2=$ 2

세 수의 계산을 할 때 +, −를 넣는 방법은 4가지가 있습니다.

$5+3+1=$ 9 $7+1+1=$ 9
$5+3-1=$ 7 $7+1-1=$ 7
$5-3+1=$ 3 $7-1+1=$ 7
$5-3-1=$ 1 $7-1-1=$ 5

$6+2+1=$ 9 $5+2+2=$ 9
$6+2-1=$ 7 $5+2-2=$ 5
$6-2+1=$ 5 $5-2+2=$ 5
$6-2-1=$ 3 $5-2-2=$ 1

$3+5-2=6$ $8-6+3=5$
$8-3+4=9$ $7+1-4=4$
$4+2+1=7$ $6-4+6=8$
$7-4+2=5$ $2+3+2=7$
$6+2-5=3$ $7-5+3=5$
$4-3+5=6$ $5+4-3=6$
$6+3-7=2$ $8-2-4=2$
$7-2+4=9$ $4+4-3=5$

응용연산

1 계산 결과에 맞게 길을 그리세요.

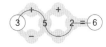 

3 주어진 수를 한 번씩 모두 사용하여 식을 완성하세요

$9-3+2=8$ 3 2 9
$5+3-4=4$ 또는 3+5−4=4   3 4 5
$5+4-7=2$ 또는 4+5−7=2   7 5 4
$8-2-4=2$ 또는 8−4−2=2   2 8 4

2 계산 결과에 맞게 선을 이으세요.

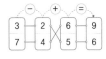 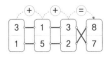

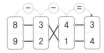 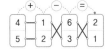

4 다음은 숫자 1, 3, 9와 +, −를 사용하여 1부터 9까지의 수를 만든 것입니다. 빈칸에 알맞은 식을 쓰세요.

1	1	6	9−3
2	3−1	7	9−3+1 또는 9+1−3
3	3	8	9−1
4	1+3 또는 3+1	9	9
5	9−3−1		

78·79쪽

78·79쪽

C 064 거꾸로 계산하기

개념원리

거꾸로 계산하여 봅시다.

$$6 \xrightarrow{+3} 9 \xrightarrow{-5} 4$$
$$-3 \quad +5$$

거꾸로 계산할 때는
+는 −, −는 +로 계산합니다.

$$4 \xrightarrow{+4} 8 \xrightarrow{+1} 9$$
$$-4 \quad -1$$

$$6 \xrightarrow{-5} 1 \xrightarrow{+6} 7$$
$$+5 \quad -6$$

$$3 \xrightarrow{+1} 4 \xrightarrow{-2} 2$$
$$-1 \quad +2$$

$$8 \xrightarrow{-6} 2 \xrightarrow{+5} 7$$
$$+6 \quad -5$$

$$8 \xrightarrow{-2} 6 \xrightarrow{-3} 3$$

$$6 \xrightarrow{+3} 9 \xrightarrow{-6} 3$$

$$3 \xrightarrow{+2} 5 \xrightarrow{+3} 8$$

$$8 \xrightarrow{-5} 3 \xrightarrow{+4} 7$$

$8 - 2 - 4 = 2$ $6 - 2 - 3 = 1$ $2 + 2 + 3 = 7$

$4 + 2 - 3 = 3$ $4 - 3 + 4 = 5$ $9 - 4 + 1 = 6$

$8 - 3 - 2 = 3$ $5 + 2 - 3 = 4$ $7 - 3 + 1 = 5$

$5 + 1 - 2 = 4$ $2 - 1 + 6 = 7$ $5 + 4 - 3 = 6$

$3 + 2 + 3 = 8$ $6 + 2 - 4 = 4$ $8 - 2 + 3 = 9$

$8 - 2 - 3 = 3$ $3 - 1 + 4 = 6$ $3 + 3 - 1 = 5$

80·81쪽

80·81쪽

응용연산

1 빈칸을 모두 채우세요.

2 빈칸에 알맞은 수를 쓰세요.

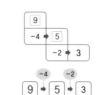

3 아이스크림이 몇 개 있었습니다. 영수가 2개, 동생이 3개를 먹고 2개가 남았습니다. 처음 아이스크림은 몇 개 있었을까요?

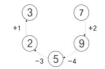

답 7 개

4 공원에 의자가 있습니다. 새 의자 3개를 더 놓고, 망가진 의자 2개를 빼냈더니 의자가 7개가 되었습니다. 처음에 있었던 의자는 몇 개일까요?

답 6 개

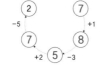

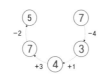

82·83쪽 형성평가

1 계산 결과에 맞게 길을 그리세요.

2 재현이는 공책을 7권 가지고 있었습니다. 동생에게 2권을 주고, 형에게 3권을 받았습니다. 재현이가 가지고 있는 공책은 몇 권일까요? ○안에 + 또는 −를 쓰고, 식과 답을 완성하세요.

답 7 − 2 + 3 = 8   답 8 권

3 ★안의 수 중에서 두 개의 수를 사용하여 식을 완성하세요.

6 − 4 − 1 = 1

7 + 2 − 5 = 4
또는 2 + 7 − 5 = 4

4 물음에 맞는 식에 ○표 하고, 답을 구하세요.

정우는 풍선을 7개 가지고 있었습니다. 형에게 풍선을 몇 개 주고, 동생에게 풍선을 2개 받았더니 풍선이 6개가 되었습니다. 정우가 형에게 준 풍선은 몇 개일까요?

7 + ☐ − 2 = 6   ⟨7 − ☐ + 2 = 6⟩   2 + ☐ + 6 = 7

답 3 개

5 ○안에 + 또는 −를 채우세요.

4 + 3 − 5 = 2   4 − 2 + 6 = 8

5 + 3 + 1 = 9   3 + 5 − 2 = 6

6 주어진 수를 한 번씩 사용하여 식을 완성하세요.

6 − 4 + 2 = 4
4   2   6

7 + 2 − 6 = 3
또는 2 + 7 − 6 = 3
7   2   6

84쪽

7 거꾸로 계산하여 빈칸에 알맞은 수를 쓰세요.

7 ─⁻³→ 4 ─⁺²→ 6   5 ─⁺¹→ 6 ─⁻²→ 4

8 빈칸을 모두 채우세요.

6   7
−3↘   ↗+1
9   8
+3↘ 6 ↙−2

9 전깃줄에 참새가 앉아 있습니다. 3마리가 날아가고, 1마리가 날아와 앉아서 4마리가 되었습니다. 처음에 앉아 있던 참새는 몇 마리일까요?

6 ─⁻³→ 3 ─⁺¹→ 4   답 6 마리

Memo

"

Numbers rule the universe.

"

"수가 우주를 지배한다"

Pythagoras, 피타고라스